大學圖書館之經營理念

楊美華／著

臺灣學生書局印行

王　序

圖書館事業的發展與一國文化教育有密切的關係。就文化而言，無論是那一種類型的圖書館，都具有保存文化和傳布文化兩大使命。在文化保存方面，人類的思想言行與學術思想寄託於圖書資料，圖書館則是保存圖書資料的唯一專責機構。尤以現代圖書館事業講求合作採訪、分工蒐集制度，全國圖書館會合成爲一國家資料庫，並完整的保存了國家重要的文化資源。另在文化傳布方面，現代的圖書館具有傳播資訊的功能，圖書資訊的傳布，可使一地方文化普及各處，一時代文化永留人間，其影響至爲深遠。就教育而言，學校圖書館的設置主要在配合教學，公共圖書館的設置則在利用圖書資料傳播知識，推行成人教育，作爲社會中的民衆大學。所以，圖書館本身就是一種教育機構。

大學圖書館屬於學術圖書館性質，其設置除具有文化教育的一般任務外，更由於所依附的大學本身有其個別的施教目標，而賦予不同的配合教學和協助學術研究發展的任務。因此，大學圖書館在經營的理念上，以及管理的方法上也有其重點，與一般圖書館不同。

本書是以「大學圖書館之經營理念」爲要旨，探討大學圖書館的規劃、館藏管理、合作館藏發展、業務評鑑、館際合作、圖書館網路、館員培育與繼續教育等主題，並分析我國大專圖書館的現況。涵蓋的層面實已包括了圖書館經營管理的要項，而選擇

的主題更屬經營成敗的關鍵。綜合而論，本書具有以下幾項特色:

一、本書首先介紹大學圖書館規劃的觀念及實際的做法。所謂「規劃」，一般乃指對一機構整個目標及基本策略的選擇，也是針對未來行動，所進行分析與選擇的程序。圖書館規劃之目的，主要在確定有效達成其服務目標的方案。這是近年來圖書館管理應用管理科學觀念與方法之一發展趨向，也是促進圖書館事業現代化之一必然措施。

二、館藏管理，合作發展與館藏評鑑各章，介紹圖書館館藏發展的有關問題。館藏發展（Collection development）爲圖書館業務良窳之一要素，也是圖書館管理之一核心問題。如何針對一館設置目的及閱者的需求，有計畫有重點的建立館藏，以配合教學研究，至爲重要。文中述及館際合作方式，期刊中心之設置，更多創意。

三、圖書館網路系統爲各國圖書館發展之一趨勢，其最大效益在增進合作關係，精簡人力物力，謀求資源共享。圖書館網路的建立有賴圖書館界的合作與共識。本書不僅介紹美國圖書館網之現況，並探測未來發展方向，有助研究參考。

四、圖書館專業教育與繼續教育之有效實施，爲促進圖書館專業化之重要措施。大學圖書館之經營，需要高素質的學科專家與具有專業觀念的服務人員，而在職人員也應利用繼續教育機會不斷接受新知技術，以適應資訊社會之未來發展。著者精研比較教育，有其獨到的見解。

五、「我國大專圖書館現況」及「結論」，對當前大專圖書館之發展作一剖析與建議。建議各點涉及：目標、組織、制度、資源合作及人員素質之提高等項，均切中肯綮，可供圖書館界及教育主管當局採擇實施。

著者楊美華博士，曾在國內及國外接受圖書館學之完整教育，臺大圖書館系畢業後，曾於一九八〇年獲美國印第安那大學圖書館學碩士，並於一九八五年在印大獲比較教育碩士，一九八六年獲圖書館學博士學位。在過去十餘年間，先後擔任臺灣大學法學院圖書館主任、逢甲大學圖書館長、美國印第安那大學東亞圖書館長等職務。現任國立中正大學教授兼圖書館長。在教學方面，曾任輔仁大學及臺灣大學教職。楊博士不僅深研圖書館學及資訊科學,同時也是圖書館管理專才,著述甚豐。個人深信本書之出版必有益於研究與從事圖書館工作者之參考，在觀念上有所啓發，在技術方法上有所借鑑。而圖書館系所學生在探討大學圖書館問題時，也可以此書作爲重要教學資料。茲值付梓，謹贅數語作爲介紹，並向著者表示祝賀與敬佩之忱。

王振鵠　民國七十八年八月十日

自　序

圖書館是現代文明的表徵，也是社會教育的礎石。因而，圖書館事業標誌了一個國家現代化的程度，教育文化發展的層次，不得以等閒視之。

我國設立圖書館已有近八十年的歷史，政府有關當局視之爲社會教育機構，並制定若干法規與政策，積極推展其事業。國立中央圖書館的統計資料顯示：我國各級圖書館（包括大專、學校、專門、公共等）藏書總册數逾四千二百多萬册，其中以大專院校圖書館藏書最多，共一千三百餘萬册，佔百分之三十以上；全國期刊種數超過二十三萬四千餘種，大專院校圖書館卽藏有九萬二千餘種，佔百分之三十五。大專院校圖書館在我國之重要性、蓬勃發展之事實，略無疑義。

近年來，我國圖書館學的研究頗有成效，第二次中華民國圖書館年鑑記載：自民國六十八年至七十六年間，出版之圖書館學專書計一八六種，其中有關大學圖書館的研究九種，而報章雜誌刊載的相關論述，邇來有二千五百四十一篇，惟與大學圖書館有關者只有七一篇，該方面文獻之貧瘠，不言可喩。一本鑒照大學圖書館經營理念的專論，毋寧是必要的，因此本人不揣淺陋，做引玉之磚，敢以多年來在大學圖書館工作的實務經驗及理論潛研，創成玆書。

無可否認，一所大學圖書館的經營包括許多層面，本書的探討側重規劃、館藏、評鑑與合作等諸種理念，兼論現代科技對圖書館所造成的衝擊及館員的因應之道。

長久以來，我國圖書館界普遍缺乏「規劃」的觀念。所謂「規劃」，其目的在構思一個理想的未來，並努力使它實現。第一章「大學圖書館的規劃」首先闡明圖書館計畫編製的程序，再述如何做好我國大學圖書館的規劃工作。

充實的館藏是大學圖書館的心臟，沒有合用的館藏，就無法提供完善的服務，並將影響學者研究的視面，學術文化的廣度。因此「館藏管理」一章釐定館藏發展、館藏維護與館藏評鑑的重要性。

學術無國籍，資訊無疆界，在資料的採購上，須有全球性的合作。館藏發展的合作係指一群深知讀者需求的館員之結合。第三章「合作館藏發展」以美國圖書館在合作採訪方面的實踐爲例子，以國際圖書館協會聯盟的努力爲借鏡，強調合作館藏發展在當今大學圖書館的必要性。

誠如索爾貝婁所言：「我們必須盡所能去對我們生存的環境做有深度的詮釋。」圖書館評鑑的意義在運用評鑑的工具，就圖書館成立的宗旨與業務目標，蒐集資料，加以分析、評比，以瞭解圖書館經營的績效。「圖書館評鑑」一章，僅以大學圖書館預算中，經費佔百分之七十以上的西文期刊爲例，略述評鑑的方法與步驟。

資訊時代的來臨，迫使圖書館走上「自動化」和「合作」的不歸路，「館際合作」、「資源分享」和「圖書館網」指的其實是一體的多面。惟有健全的館際合作，才能確保資源的分享，也惟有圖書館網路的建立才能落實館際合作的理想。第五章「館際合作」僅就館際互借、合作編目、合作採訪等問題談各種可能的合作途徑。

現代科學技術的高度發展，文獻日以劇增，加以人類對資訊迫切的需求，促成了「圖書館網路」的誕生。「圖書館網絡」一章推介美國圖書館網之現況與發展，同時追溯我國圖書館自動化的軌跡，預測圖書館自動化的趨勢。

科學技術日新月異，各種知識急遽累積，學科分劃漸趨精細，欲發揮圖書館特有的功能，館員除了要加強資訊傳播技術外，更須鑽研一種專門學科的理論。第七章「大學圖書館員的培育」探討「學科專家」日趨砥柱之地位，藉以提倡大學圖書館啓用專業人員的風氣，從而提昇館員的地位與支援教學研究的功能。

在人生股份有限公司裡，工作佔有三分之一的股權，對工作最好的長期投資就是「觀念」和新的專業。「圖書館員的繼續教育」一章力闡繼續教育的重要性及其施行的方法，以期館員在迎接資訊社會的今天，能有一次更成功的出擊。

第九章「我國大學圖書館的現況」，淺述我國大學圖書館歷年來的發展，剖析現況，條列有待突破的瓶頸；儘管藥方未必有效，但「診斷」是一個起點。第十章「總結」，前瞻未來發展之方向，研擬具體可行的方案，一則供決策單位參酌實施，一則在爲我國大學圖書館勘立奮勉之目標。

然而，大學圖書館之經營究竟牽涉甚廣，筆者竭盡學驗所能，猶恐不免有遺漏之處，博雅君子，祈教正焉。

楊美華　序於國立中正大學籌備處七十八年六月三十日

目　次

圖表目次

第一章　大學圖書館的規劃

第一節　緒　論

古語云：「凡事豫則立，不豫則廢」，又云：「多算勝，少算不勝」，都是說明事前規劃的必要性。宏觀決策的第一步是選擇目標，亦即設計一個事業改革發展的長遠規畫和短期計畫。計畫可以確保一個機構的有效性，沒有目標，沒有計畫，有效性就無法呈現。

長久以來，圖書館界普遍缺乏「規劃」的信念，對於未來的無法掌握，也一直是大學圖書館經營最大的困難。至晚近幾年，有關規劃的理念才漸普及，許多國外的圖書館開始瞭解到規劃的意義與重要性，而有了各種「圖書館長期發展計畫」的擬定。

一九七〇年代，布斯(Booz, Allen and Hamilton Inc., 簡稱BAH)公司受美國研究圖書館協會和教育委員會之委託，完成了一項劃時代的大學圖書館管理問題的調查研究❶，報告中指出大學圖書館應廣泛採行現代管理的技巧，並强調圖書館作業和預算方面有一套完整的計畫是不可或缺的。哥倫比亞大學圖書館(Columbia University Libraries)率先接納其建議，於一九七二年成立「規劃室」(planning office)，全盤性檢討整個圖書館作業的流程❷。爾後，更有康奈爾大學圖書館(Cornell University

Libraries)、密西根大學圖書館(University of Michigan Libraries)的相繼跟進❸。於是乎許多美國大學圖書館均紛紛從事於圖書館計畫的編製❹。

反觀我國，圖書館整體發展計畫的觀念迄今未能萌芽，即便有圖書館偶一爲之，亦缺乏周延性的思慮及事後的追蹤、考核。有道是「愼之于始，始能善之于終。」要提昇圖書館的功能，必須先有一個完整的計畫，樹立圖書館服務的宗旨、目標，才能擬定因應的策略，提出改革措施。

第二節　計畫的意義、類型、特性與重要性

一、什麼是計畫

不同的人對「計畫」有不同的定義，直到目前爲止，尙沒有一個共同認定的界說。黎布里頓(Le Breton)和亨寧(Henning)認爲計畫是「決定一系列行動的過程」,這個過程具有三個特色:前瞻性、行動、和組織的因果律(organizational causation)❺。換言之，計畫實涵蓋了一連串廣泛的活動，如目標的擬定、政策的建立以及決策的完成等。卡斯特(Kast)和羅生茲威(Rosenzweig)則將其定義爲「制定目標的過程，爲了達成這個目標所發展出來的活動，及其效率性和效力性的評估❻。」

在「計畫理論與實務」一書裡,邢祖援對計畫有詳盡的說明:「計畫是一個團體爲達成其共同的目標，先期運用集體的智慧，以邏輯的思維程序，搜集有關資料、選擇最佳可行方案，釐訂工

作方法，劃分進行步驟，分配各級責任，律定協調關係，並有效運用各種資源的一種準備過程❼。」由此，可以發現：計畫是一連串有關目標、活動和評估的決定；是一種思維的方式，達成目標的手段；對未來將採取的行動作決定之準備過程，也是為達成工作目標而實施的程序。

簡言之，計畫的編製就在於決定做什麼事，怎樣去做，什麼時候做以及由什麼人做❽。亦即樹立一個基本目標，決定一個正確的方針，排列一個合理的進度，使各項工作都有所依據，並能按部就班，有條不紊的循序漸進，以獲致預期成果❾。

二、類　型

計畫的類別可從不同的構面來區分，就功能性來說，有銷售計畫、生產計畫和財務計畫等三種；就支援性而言，又有組織、人力支援、管理發展、資本投資和研究發展等五大類型❿。

不論是功能性或支援性的計畫，都可以進一步地按照計畫時間的長短，分為長期計畫(long-term plans)與短期計畫(short-term plans)。前者又稱為「策略規劃」(strategic planning)或「整體性的規劃」(integrated planning)⓫；後者又稱為「戰術性策劃」(tactical planning)或「工作計畫」(operational planning)。

長期計畫是為了達成組織目標所擬訂之策略，在引導企業未來營運之方向，多由高階層管理者為之，通常具有五年到十年的時效，是組織一切管理、監督和考核的基礎。短期計畫之擬訂則以達成長期計畫為目標，多為中低階層之管理者所擬定的年度工作計畫。要之，只有短期計畫，沒有長期計畫，將缺乏前瞻性；只有長期計畫，沒有短期計畫，則不切實際。兩者兼具，才能構成一持續性計畫⓬。

三、特　性

計畫是執行各項工作所依據之藍圖，也是工作完成後，檢查考核的準則，通常具有下列幾項特性：

1.具有預測的功能⓭

計畫是預測期望之一種結果。由於圖書館未來的業務——如產品、服務、市場或技術等——都會不同於今日的業務⓮，所以計畫須具有前瞻性，能預見現行政策之未來狀況。計畫力和預測力互爲表裡，計畫時，應預測各種可能事態之發生，並考慮到如果遇到某種狀況時，應如何因應及縮短時間，而省略某些無關緊要的項目，以期富有彈性⓯。

2.計畫應有完整性

圖書館內的每一部門，對其所主管的工作，雖然有其單獨的計畫，但這些個別的計畫必須屬於圖書館整體計畫的一部分，而與其他部門的計畫相互關係，密切配合⓰。

3.計畫應有延續性

計畫是一個持續不斷的過程，要能承先啓後。過去的計畫可以供現在計畫作參考，現在的計畫與未來的計畫須彼此銜接⓱。

4. 計畫應有系統性

圖書館是母體機構大系統架構下的一個子系統，規劃圖書館作業系統須知悉各系統之間的關聯性，了解圖書館這個系統的「輸入」和「輸出」是一些什麼。此外，作爲一個子系統，其內外的變動有何制約，亦須考量。除了整體考慮系統觀點，尤應遵守最優(optimal)的原則。

四、重要性

計畫之所以重要，可由下列幾方面看出：

1. 引導一正確方向

計畫是實現目標之指南，有了計畫，圖書館的政策、目標方得明確。

2. 對突發事件有較佳的應變措施

計畫雖不保證一定成功，但能預先洞察未來可能的「機會」及潛存的「威脅」，對各種不確定的因素和一連串的變動提供了最萬全的準備，故能未雨綢繆⑱，創造最有利之契機。

3. 發揮最大的經濟效益

計畫可以做爲預算合理分配的依據，規定了實施的步驟和進度，促進資源的有效運用，提高圖書館作業效率。

4. 培養個人、組織部門的責任感

計畫奠定了團隊工作的基礎，使各個主管對於彼此有關的責任有更深切的體認。各部門依據計畫方針，制定最佳決策、共同協調合作，達成整體目標。

5.建立共識與信心

充分的意見溝通，有助於館內的協調與合作，避免緊張的心理⓳;收集外在環境資料時，讓主管當局明瞭圖書館所做的業務，因而提高外界對圖書館的信心。

6.提供績效評核之標準

參與計畫的過程中，全體館員可以徹底了解整個圖書館經營上的缺失。計畫因而提供了客觀尺度以考核館員的工作績效⓴。

第三節　圖書館計畫之應用

一九七〇年代以後，美國大學圖書館在規劃方面所作的努力，可以歸納如下：

一、管理之評估與分析計畫(Management Review and Analysis Program, MRAP)

美國研究圖書館協會大學圖書館管理研究室 (Office of University Library Management Studies) 於一九七二年所發表的「管理之評估與分析計畫」係一項自助性、自我檢查的工具，以幫助大學圖書館檢查分析其現行之政策和作業。此項研究主要包括七個單元，前三項分別爲特殊需求與背景因素之探討、外在環境的客觀分析和大學圖書館所肩負之使命、任務。後四項則爲管理系統、人力資源發展、人事制度和組織未來發展所須具備之領導條件等㉑。整個計畫的策略在經由行動導向 (action-oriented) 之研究，提出確實可行的方案㉒。

二、學術圖書館之發展計畫 (Academic Library Development Program, ALDP)

「學術圖書館發展計畫」係「管理之評估與分析計畫」之縮版，乃針對中小型學術圖書館的需求而設計。其重點在整個圖書館作業的評鑑，如服務、宗旨、規劃、預算、技術、設備、人員發展以及人際關係等方面㉓。北卡羅萊那州立大學夏樂蒂分校 (University of North Carolina at Charlotte, UNCC)測試的結果，驗證了此項計畫之有效性㉔。

三、小型學術圖書館計畫程序 (A Planning Program for Small Academic Libraries, PPSAL)

一九七九年，美國研究圖書館協會引進了「小型學術圖書館計畫程序」，以幫助一些規模較小的大學圖書館引用「自我研究」的方法，繼承了「管理之評估與分析計畫」之精神，評鑑圖書館服務的成效，加强圖書舘在大學教育體系裡所扮演的角色㉕。其觀念模式包括政策、讀者、服務和行政管理等範疇（作業過程參見圖一）。自一九七九年至一九八三年，參加此項計畫的圖書館計二十餘所，充分顯示其受歡迎的程度㉖。

圖　一：小型學術圖書館計畫之分析模式

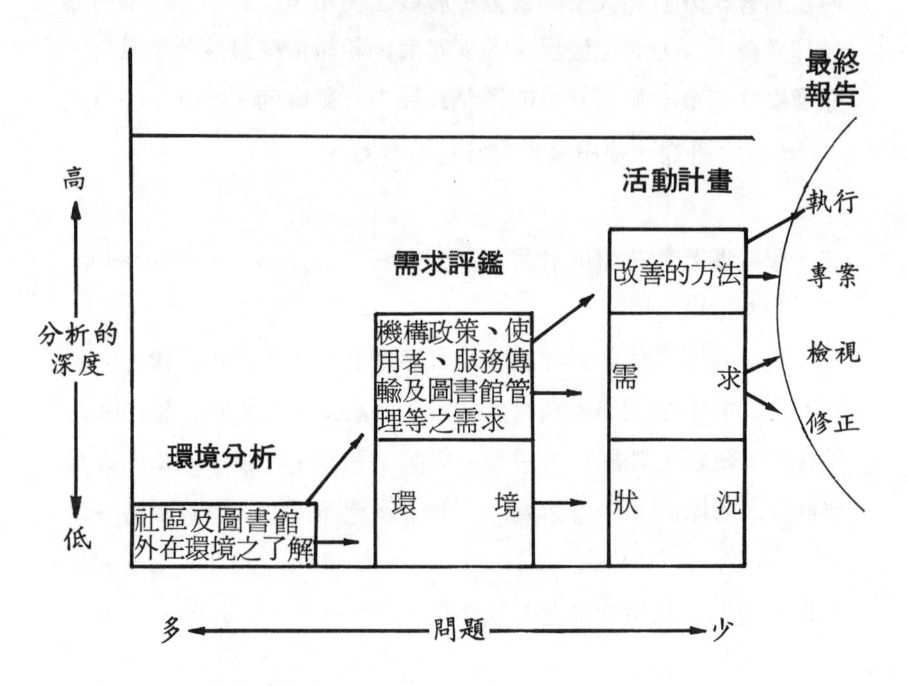

資料來源：Duane E. Webster and Maxine K. Sitts, "A Planning Program for the Small Academic Library: The PPSAL," *Journal of Library Administrtion* 2 (Summer/Fall/Winter 1981): 137.

四、計畫、執行和評估系統 (Planning, Implementation and Evaluation System, PIES)

高德柏(Goldberg)於一九七六年提出「計畫、執行和評估系統」，以系統思維的方式分析圖書館計畫的哲學基礎，測重戰略性計畫、戰術性計畫和作業項目之運用,強調「目標」和「評估」的觀念[27]。

五、大學圖書館整體性規劃 (Comprehensive Academic Library Planning)

麥克略爾(Charles McClure)認爲一套完整的圖書館計畫應包括下列諸要素:

1. 哲學理念:圖書館的任務及整體發展所依據之哲學基礎[28]。

2. 需求評鑑:先行了解所在社區對圖書館的要求爲何,再檢視圖書館是否已發揮了應有的功能。

3. 宗旨和目標:著手擬定書面的目的,做爲長期計畫的指引,和短期內可完成的各種工作目標。

4. 執行:推展各種活動計畫,以達成既定之目標。

5. 督導控制:設計規劃程序,分配責任俾便計畫之執行。

6. 評估:考量圖書館達成目的、目標的效能與效率[29]。

總括來說,麥克略爾認爲:規劃 (Planning) 是機構確立其目的、目標、發展計畫或服務以完成其任務、使命,並評估各種計畫、作業以達成既定目標的一套程序 (process)[30]。

六、凱塞的圖書館計畫模型 (Planning Model)[31]。

民國六十八年底,美國印第安那大學的教授凱塞(David Kaser)應國立師範大學之邀,來台演講時,曾以此計畫模型探討圖書館在規劃服務時所應注意的事項[32],茲詮釋如次:(參見圖二)

圖　二：圖書館計畫模型

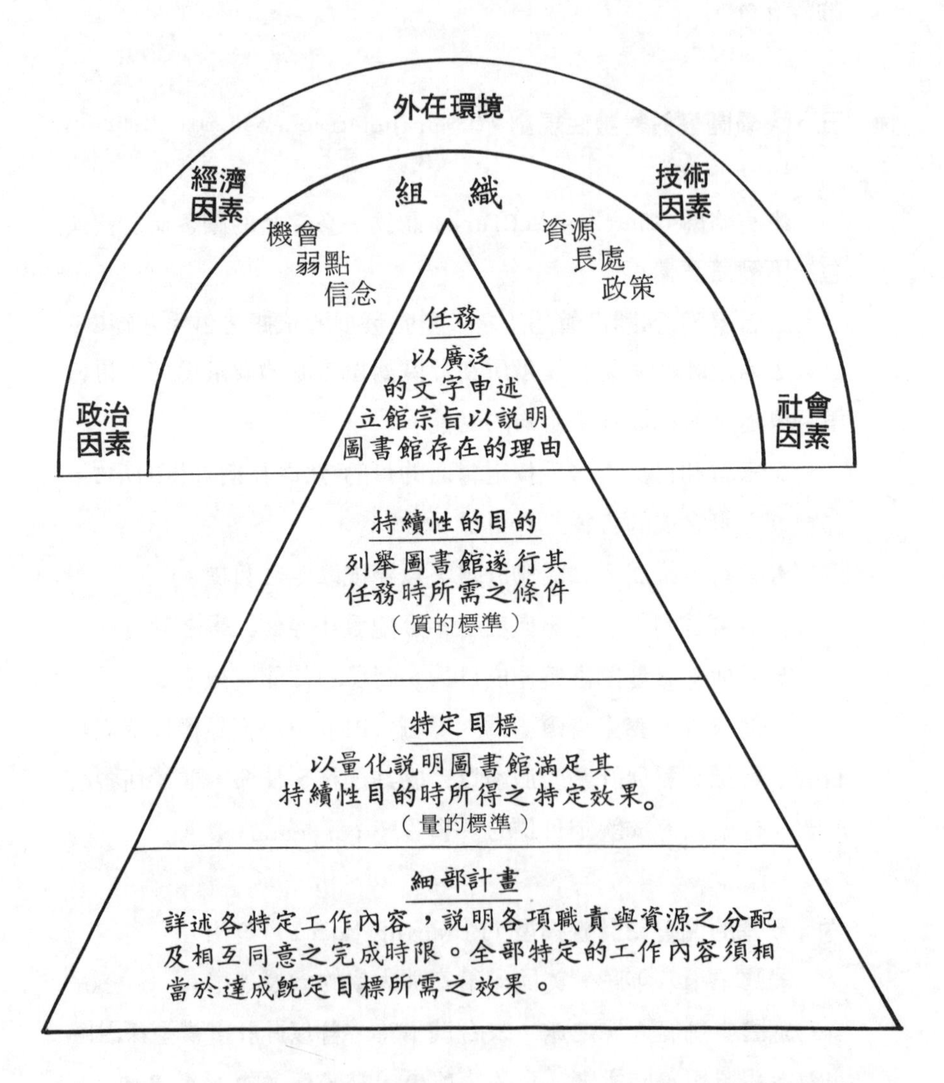

資料來源：圖書館規劃與媒體技術（臺北市：國立臺灣師範大學圖書館，民 69 年），頁 22 。

1. 任務宣言（Mission Statement）

「任務宣言」在說明圖書館長期的發展方向，必須能吻合社會的需求。「外在環境」的掌握包括政治、經濟、科技、社會等動態；「內在特性」的考量涵蓋政策、信念、能力、資源、機會成本等變數㉝。

2. 持續性的目的（Continuing goals）

此係完成圖書館使命任務時所依賴的條件，可以量化或質的標準來說明。

3. 特定目標（Specific Objectives）

「目的」一詞涵意較廣泛，「目標」一詞較具體，故「目的」必須轉換成特定、可評估的「目標」。

4. 活動計畫（Activities）

爲達目的、目標而設計的各種活動、策略。在選擇最佳方案後，亦須分配責任、資源，並督導考核。

七、策略規劃在圖書館的應用

自一九七〇年以來，大學圖書館借用許多現代管理學的方法，不斷尋求經營圖書館的新理念，除了零基預算、計畫評估、目標管理等理論外㉞，瑞格斯（Donald E. Riggs）更進一步探討「策略規劃」在圖書館應用的可行性㉟。

根據彼德杜拉克（Peter Drucker）的說法，所謂「策略規劃」

圖　三：企業整體規劃之結構及程序（史坦納模型）

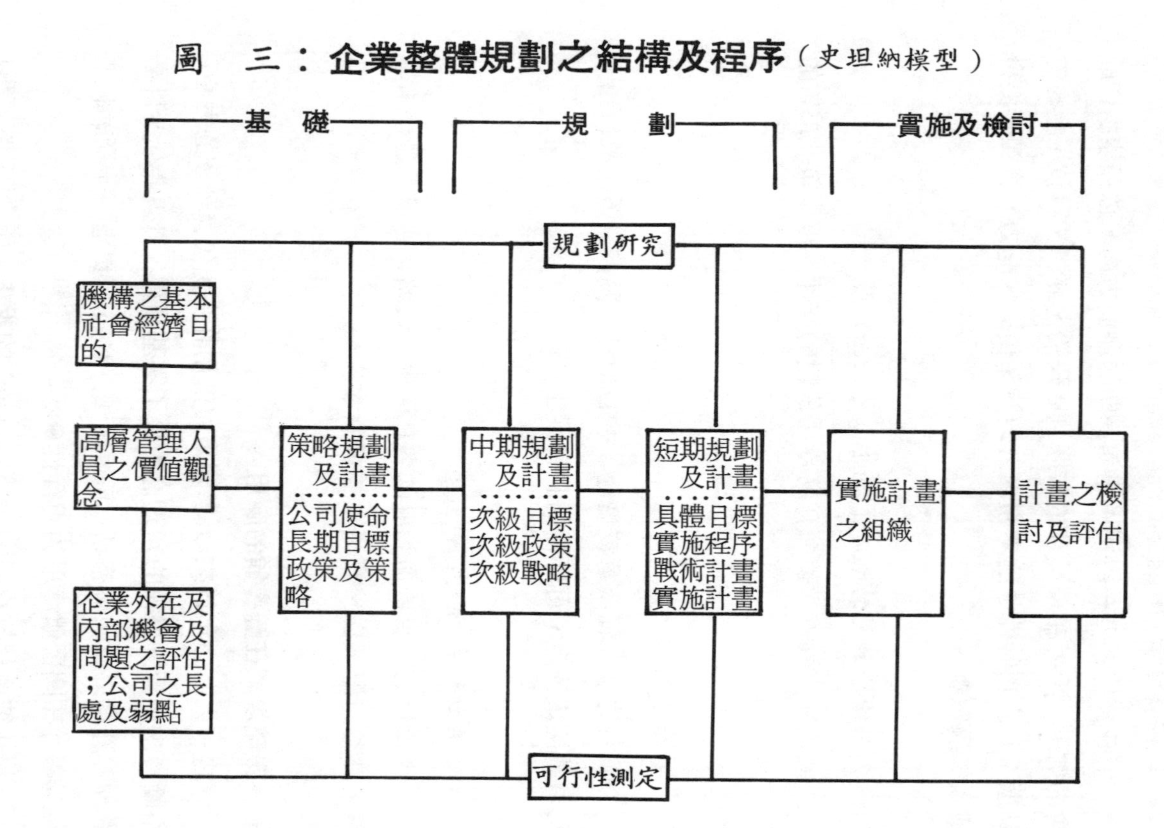

資料來源：傅電，現代管理學：理論、程序、技術（臺中市：國彰，民 74 年），頁 135。

是一種作出創造性決策的連續過程，在對這些決策的遠景有了充分的認識後，努力地執行決策，並針對事先的期望，經由有組織、有系統的回饋來評估這些決策的成果效益㊱。史坦納 (George Steiner) 曾進一步就整體規劃之結構及程序說明策略規劃乃是「決定一機構之主要目標，以及此後獲取、使用及分配資源的基本政策和策略，以達成機構目標的過程㊲。」（參見圖三）

在圖書館的應用方面，策略規劃的過程包括任務宣言、目的、目標、替代方案、策略、政策、和資源分配的應用與評估。瑞格斯特別强調這些項目之間的相互關係，以及策略之形成與應用，並著重程序的控制與評估的方法㊳。

第四節　圖書館計畫的編製與程序

一、編製計畫所須考慮的要素

「計畫」固然重要，但計畫編製的程序更爲重要，編製計畫時須注意的有下列數端：

1. 時　間

時間是編製計畫時所須考慮的第一個要素。就時間而言，計畫分成兩種：一是長期計畫，一是短期計畫。前者是長程的、全面性的、戰略性的「目的」取向；後者是短程的、局部性的、戰術性的「方法」取向。換句話說，前者決定應該做些什麼，後者決定將做些什麼。長期計畫通常爲期五年至十年，而短期計畫則係配合會計年度，擬定具體項目，以分段作業完成總體計畫[39]。

2. 資料的收集和分析

編製計畫時須注意的第二個要素是各種數據資料的蒐集和分析。圖書館規劃的目的既在利用目前現有的資源作成一個最合理、有效的決策，是以編製計畫時須先有系統地、廣泛地蒐集各種圖書館作業的資料。蒐集的資料越完備，編製計畫之過程將越順利[40]。資料的蒐集包括各種環境因素、資源分配和活動項目等，其間的關係參見圖四。

3. 計畫的層次

要確保計畫的成功、完善，每一個階層的館員均應參與計畫的擬定。館長本身對計畫所持的態度與作法，固是重要的關鍵，但是「由上而下」的決策方式，須得到各層級工作人員的支持與執行。因此，在計畫之前，須先組織「規劃委員會」讓各層面的人員均有代表參加。此外，不僅圖書館本身有總體計畫，各部門也要有自己的規劃[41]。

4. 彈　性

一個好的計畫需具備靈活性，能夠因應變化，有各種權宜措施。計畫是一個持續性、長期性的工作，再完善的計畫亦必須定期評估，隨時修正，所以計畫的編製，要有彈性，不能一成不變，須定期檢視，將不適用的部分刪除，以具時效[42]。

圖　四：資料因素之相互關係

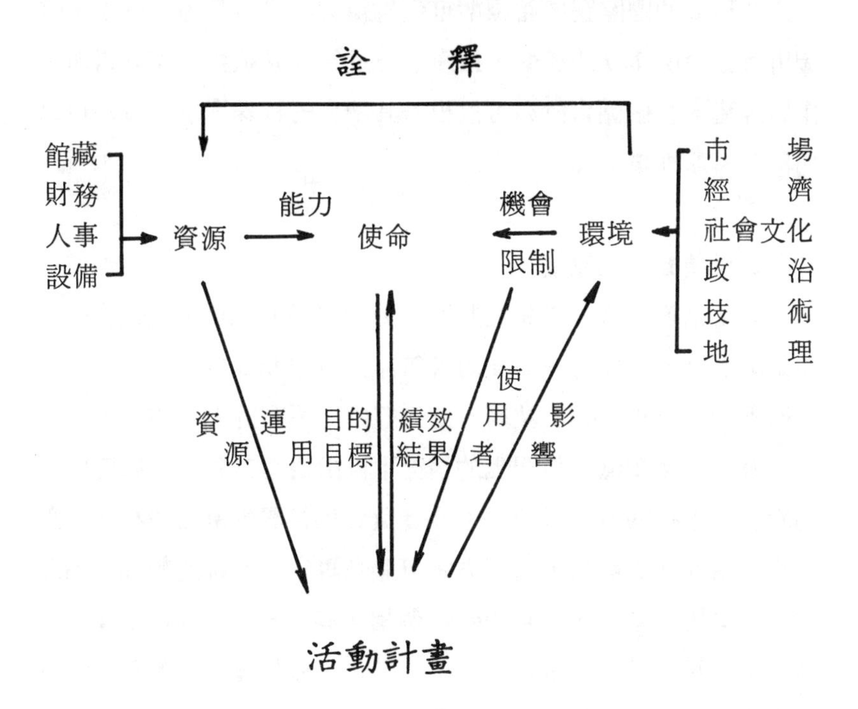

資料來源：Maryann Kevin Brown, "Information for Planning," *Journal of Library Administration* 2 (Summer/Fall/ Winter 1981): 192.

二、計畫編製的技術

計畫編製的技術有下列幾種：

1. 根據標準或準則

各館在擬定圖書館計畫時,須以達到某種標準的要求爲依歸。有許多現成的國際圖書館標準可作爲編製計畫的準繩，例如美國圖書館協會所建立的標準、指南，已成爲世界很多類型圖書館工作的規範。各個圖書館亦可以根據其讀者的特殊需求，訂定自己的標準、原則[43]。

2.具有預測的功能

「工欲善其事，必先利其器」，應用預測技巧決定適當的規劃是編製計畫重要的一環。圖書館界常用的預測技術有二：一是「德爾菲」(Delphi)技術，此乃經由一系列的問卷方式，讓每個參與之專家在無任何限制的情況下自由表達其對某一特定問題的看法。進行的過程係由一中介者負責供給專家所需資料，並蒐集專家對問題的解答，這種方式可避免專家間直接的衝突，而經由一連串的問答後，亦可得到一個相當滿意、一致的結果[44]。二是「趨勢預測」(Trend Projection)，係根據過去的經驗，用製圖的方法，描繪未來的趨勢[45]。

3.裝訂書面文件

計畫是一個規劃程序的正式書面文件，必須裝訂成册，以方便查核。

三、圖書館計畫的程序與步驟

1.研判社區和圖書館外在環境的情勢

一個完整的大學圖書館發展計畫應包括：大學對於圖書館的需求與企盼；支援教學活動時所負之使命和任務，以及完成計畫時所需的圖書館資源，如財務、人事、館藏、設備等㊻。

圖書館計畫的第一步是客觀分析圖書館的外在環境：舉凡一般環境因素，例如科學技術、文化教育、社會、經濟等因素都會對圖書館構成衝擊，因此在計畫時，須掌握各種可能的危機及有利的條件，才能製作出最完善的計畫。就行銷的理論而言，圖書館在尋求「行銷機會」，偵測「行銷威脅」時，必須由「行銷環境」做起，所以預測需求是首要的工作。

2. 評量圖書館現行作業與服務

在計畫之前，須先有一番自我評估，才能分辨現行政策與服務之優缺點。惟有在自我分析的基礎上，才能有策略規劃的進行。因此之故，圖書館對於各種統計資料，如績效標準、人事狀況、工作數量、館藏設備、財務記錄等均須加以收集。

3. 訂定圖書館的宗旨、目標

組織在進行策略規劃時，必須先確立組織之目的，即其存在的基本社會目的；以大學圖書館來說，它的主要功能在支援教學活動及研究計畫，其目的在提供資源及服務以促進大學教育目標的達成㊼。

4. 策略的擬定

策略的制定是圖書館計畫程序最重要的部分。策略是爲達到目的和目標而設計的特殊行動，就大學圖書館而言，大致有下列幾種：組織和工作發展的規模、館藏發展的重點、人力資源的開發、設備的添置和不斷更新、館舍建築的現代化以及圖書館的利用等。有關「策略」的評估，瑞格斯建議的項目計有：時效、一致性、資源的配合、可行性、實際性、清晰、創造性、合法性、與母體機構的諧和性、權宜措施和使用者的受益等㊽。

5. 資源分配與管理資訊系統之建立

資源包括人力、時間、館舍和設備，資源的分配須依照目的和目標，訂定優先次序，透過資源分配，圖書館的策略才能貫徹。「正確的資訊提供正確的決策」。資訊充分是策略規劃成功的基石，因此圖書館須建立「規劃管理資訊系統」，以支援策略之發展與應用。此套系統應包括環境之分析、圖書館各部門的資訊，如圖書館作業、館員能力、各部門之年度報告等資訊㊾。

6. 策略規劃之執行

執行策略規劃之前，圖書館宜召開簡介會議，讓參與人員知道規劃之內容，所需規劃之時間，及規劃之益處。圖書館館長必須自始至終是領導人，帶領全館完成整個程序，並對整個規劃程序有強烈的支持與執行的意願。除了館長強有力的領導之外，在整個過程中，須定期開會、分發資料、評估進度、檢討目標並適時修定計畫。

7. 規劃之評估與控制

圖　五：活動計畫與評估模式

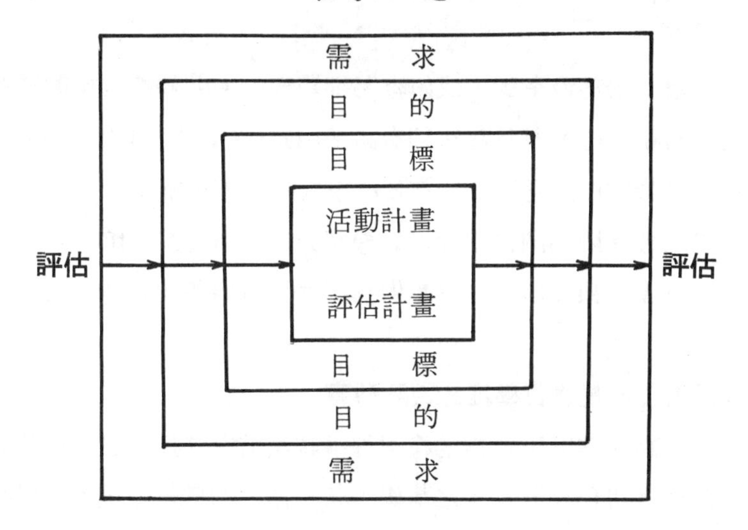

資料來源：Ernest R. De Prospo, "The Evaluation Component of Planning: An Opinion Essay," *Journal of Library Administration* 2 (Summer/Fall/Winter 1981): 163.

策略規劃之設計與執行，須經過評估與控制，如圖五所示，狄波恩伯(Ernest R. De Prospo)在「活動計畫與評估模式」裡卽特別强調評估是圖書館計畫重要的一環[50]。評估的準則包括：計畫的程序、目的是否清晰？服務項目有無可衡量的標準？資料的蒐集是否詳盡確實？各種替代方案的優缺點是否一一指出？執行的細節是否包括時間進度的控制？

第五節　如何做好我國大學圖書館的規劃工作

「看似尋常最奇崛，成如容易卻艱辛」。圖書館的規劃雖然重要，勢在必行，實行起來卻有諸多困難。除了計畫本身是複雜、費時、昂貴的作業過程外，置諸我國現階段圖書館環境，更有行不得也之感。因爲圖書館計畫的編製與完成繫於圖書館發展的健全與否。筆者擬建議下列數點供我國大學圖書館規劃時之參考：

一、圖書館館長之哲學理念與再教育

史坦納在其策略規劃的模型裡強調高階層管理人員之價值觀是構成企業規劃極其重要之基礎，具有甚大的影響力量，如果心態消極常形成某種「制約」[51]。傑碟利(Jay E. Daily)亦指出：「當任何重大變革時，人格是必須考慮的因素，它可使一系統成功或失敗[52]。」圖書館館長本身所持的經營理念是圖書館計畫成敗的最終關鍵，如其對資訊網路缺乏認識就造成了全國圖書館網路推動的阻力[53]。因此，如何使館長培養一個更高的價值意識觀是圖書館學再教育的重要課題。中國圖書館學會所舉辦的繼續教育活動如能兼顧主管階層的需求，使其能隨時接受新觀念、新科技，相信對我國圖書館事業的發展會有相當大的助益。

二、引進「行銷」的觀念

行銷觀念是一種行銷哲學，它認爲能達成消費者滿足的企業

也必能達到其組織的目標。行銷原理包括選擇目標市場，確認消費者需求，發展能滿足需求的產品及服務，使目標顧客感到滿足，而公司也能賺取利潤54。在多元化的社會裡，圖書館如要講求企業化的經營，亦須有一套行銷的策略，使服務的本身具備銷售的功能。惟有使命感與市場需求的調和，才能發揮圖書館「潛移默化」的功能。

三、群策群力，以竟事功

管理的作用是要達到「群策群力，以竟事功」的目的。圖書館規劃的目的，亦在動員全館人員，以期培養共識，發揮最大的潛能。圖書館是一個社會的機構，因此在規劃時，不僅要從圖書館自身的角度出發，更要將圖書館置於母體機構、大社會架構下考量，即編製計畫時，必須廣泛吸取教職員生的經驗和意見。

四、爲工作計畫，照計畫工作

所有工作的基本原則都是相同的，都有主題、目標、先後次序、內容、方法；都有結果、評價。在學術上，我們將爲達成工作目標而實施的「次序」稱爲「計畫」。計畫就是決定次序、分配時間55。西方有句諺語：「如果不設計，便被設計。」(Plan, or to be planned)說明的是計畫的重要性。改善圖書館的管理不可能一次完成，它是一個永遠不可能盡善盡美的過程。但這並無妨於我們勾勒理想的藍圖，並建立可資遵循的原則，努力使它實現。切勿患了帕金森所謂的「對診斷十分熱心，但對治療過於冷淡」的毛病。

第六節　結　論

「企業經營」所運用的規劃、組織、人事、指揮、控制等五項功能，亦是圖書館經營的指南。規劃是做事之前，預先籌劃之意。有了計畫(Plans)，組織才能按部就班、有系統的達成預定目標。規劃是預先決定要做任何事、何時去做、如何去做、何人去做的一套詳盡安排；經由合理的程序及目標，結合當前處境及未來可能的事實，擬定各種行動方案並做最佳的決定[56]。

在今天的社會裡，規劃非但不是一個奢侈品，更是一個必需品。規劃是一個組織用來掌握未來的必備條件，因為一個機構的存在是為了特定的使命和目的、以及特定的社會功能。在這個多元化的時代裡，每個館員均要學習適應服務取向和規劃理念的環境。

規劃除了是一套目標和策略外，更是一種「變」的哲學——一種處變不驚的心態。最理想的長期發展計畫、或策略規劃應當是和績效評估、人員發展環環相扣。雖然圖書館規劃的成敗亦繫於圖書館發展的健全與否，但是「我們起初造成習慣，然後習慣造就我們。」不可否認的，圖書館規劃是圖書館健全發展的第一步。

最後必須說明的是：計畫不是一個萬靈丹，計畫並不保證必定成功。它不是一個最終的目的，只是一個解決問題的技巧，一個過程，一個因時因地因人而制宜的策略。時代在變，潮流在變，社會的需要更是變化的，圖書館作業的方法和技術也是變化的，所以必須隨時修正、更新。沒有兩個相同的圖書館，所以也沒有一個「放諸四海而皆準」的大學圖書館發展計畫，每個圖書館都必須依其特殊需求，走出自己的一條路。千里之行，始於足下。規劃是圖書館經營的首步。

附 註

❶ David Kaser, " Planning in University Libraries : Context and Processes, " *Southeastern Librarian* 21 (Winter 1971): 207.

❷ Booz, Allen and Hamilton, Inc., *Organization and Staffing of The Libraries of Columbia University* (Westport, Conn. : Redgrave Information Resources Corp., 1973).

❸ Edward R. Johnson, " Academic Library Planning, Self-Study, and Management Review, " *Journal of Library Administration* 2 (Summer/Fall/Winter 1981):72.

❹ Duane E. Webster, " Managing The College and University Library, " in Martha Boaz, ed., *Current Concepts in Library Management* (Littleton, Colo : Libraries Unlimited, 1978) , pp.83-95.

❺ P.P. Le Breton and D. A. Henning, *Planning Theory* (Englewood Cliffs, N. J. : Prentice-Hall, 1961).

❻ Fremont E. Kast and James Rosenzweig, *Organization and Management: A Systems Approach*, 2nd ed. (New York: McGraw-Hill, 1974), pp. 337-400.

❼ 邢祖援，計畫理論與實務（臺北：幼獅文化，民國73年），頁30。

❽ Robert D. Stueart & John Taylor Eastlick, *Library Management*, 2nd ed. (Littleton, Colorado: Libraries Unlimited, 1981), p.32.

❾ 傅電，現代管理學：理論、程序、技術（臺中：國彰，民國74年），增訂版，頁116。

❿ 陳海鳴，企業組織與管理（臺北：華泰，民國70年），頁57-59。

⓫ 同❸，頁 79。

⑫ 邢祖援，「理論建立計畫體系的概念」，研考通訊，第一卷，第十期（民國 66 年 12 月）。

⑬ George A. Steiner, *Top Management Planning* (New York: Macmillan, 1969), p.7.

⑭ 許士軍譯，管理：任務、責任、實務（臺北：地球，民國63年），頁 155。

⑮ 葉德芬編譯，計畫與執行 -- 有計畫地思考或處理事情　（臺北：書泉，民國 76 年）。

⑯ 同⑨，頁 118。

⑰ 同⑯。

⑱ 黃天佑，俞海琴，蔡淑娟編譯，行銷學原理（臺北：五南，民國 77 年）。

⑲ Donald E. Riggs, "The Rewards of Strategic Planning," *Show-Me Libraries* (July 1987): 8.

⑳ Melissa Carr, "Long-Range Planning -- A Learning Process, " *Show-Me Libraries* (July 1987) : 9.

㉑ Edward Johnson and Stuart H. Mann, *Organization Development for Academic Libraries: An Evaluation of the Management Review and Analysis Program* (Westport, Conn.: Greenwood, 1980).

㉒ 同㉑。

㉓ P. Grady Morein, et al., "The Academic Library Development Program, " *College and Research Libraries* 38 (January 1977) : 44.

㉔ 同㉓，頁 37-39。

㉕ Duane E. Webster and Maxine K. Sitts, "A Planning Program for the Small Academic Library: The PPSAL," *Journal of Library Administration* 2 (Summer/Fall/ Winter 1981) : 129-144.

㉖ 同㉕。

㉗ Robert L. Goldberg, *A system Approach to Library Program Development* (Metuchen, N.J. : Scarecrow Pr., 1976).

㉘ Charles McClure, "The Planning Process: Strategies for Action, " *College & Research Libraries* 39 (November 1978): 459.

㉙ Charles McClure, "Planning for Library Services: Lessons and Opportunities, " *Journal of Library Administration* 2 (Summer/Fall/Winter 1981): 15.

㉚ 盧秀菊，「圖書館策略規劃之研究」，圖書館學刊，第五期(民國76年11月），頁75。

㉛ "ACRL's Committee on an Activity Model for 1990: The Final Report, " *College and Research Libraries News* 43 (May 1982) : 165.

㉜ David Kaser, "Planning Library Service, " In *Library Planning and Media Technology: Library Workshop Proceedings* (Taipei; National Taiwan Normal University, 1979) pp. 18-46.

㉝ David Kaser, " A Dialectic for Planning in Academic Libraries, " in *The Academic Library: Essays in Honor of Guy R. Lyle* (Metuchen, N.J. : Scarecrow Pr., 1974).

㉞ George Charles Newman, "Planning for Small College Libraries: The Use of Goals and Objectives, "ed. Michael D. Kathman & Virgil F. Massman (London: JAI, 1982), p.5.

㉟ Donald E. Riggs, *Strategic Planning for Library Managers* (Phoenix, Ariz: Oryx Pr., 1984).

㊱ Peter F. Drucker, *Management* (New York: Harper and Row, 1973), p.125.

㊲ 同⑬，頁 34。

㊳ 盧秀菊，圖書館規劃之研究（臺北市：臺灣學生書局，民國77年），

頁 194。

㊴ 同❽，頁 33。

㊵ 同⓴。

㊶ 同❽，頁 34。

㊷ 同上。

㊸ 同❽，頁 35。

㊹ 謝安田，人事管理（臺北：著者印行，民國 74年），頁 205。

㊺ 同❽，頁 36。

㊻ Booz, Allen, and Hamilton, Inc., "Problems in University Mangement: A Study Conducted for the Association of Research Libraries and The American Council on Education, "(Washington, D.C.: Association of Research Libraries, 1970).

㊼ Patricia Senn Breivik, *Open Admissions and the Academic Library* (Chicago : American Library Association, 1977), p.13.

㊽ Donald E. Riggs, "Entrepreneurial Spirit in Strategic Planning, " *Journal of Library Administration* 8 (Spring 1987) : 44.

㊾ 廖又生，「論資訊系統在圖書館策略規劃上的利用」，臺北市立圖書館館訊，第四卷，第一期　(民國75年9 月），頁 44。

㊿ Ernest R. De Prospo, "The Evaluation Component of Planning: An Opinion Essay, " *Journal of Library Administration* 2 (Summer / Fall / Winter 1981): 160.

51 同❾，頁 134。

52 Jay E. Daily, *Staff Personality Problems in the Library Automation Process* (Littleton, Colo.: Libraries Unlimited, 1985).

53 李德竹，「我國圖書館作業自動化及資訊網路建立因素之探討研究計畫報告」，（臺北市：行政院文化建設委員會，民國 75 年）。

54 Philip Kotler, *Principles of Marketing* (Englewood Cliffs, N.J.: Prentice-Hall, 1986) 3rd, ed.

55 同15。

56 同10，頁 49-51。

第二章　館藏管理

歐美圖書館學家常以「教師是一校的頭腦，圖書館是一校的心臟」來比喻圖書館在大學教育中的重要性，希望圖書館能像人體的心臟一般，將學習的血液流通至大學的周身，以豐富大學的生命。所以說：「一所好的大學，必定有一所好的圖書館」，「無健全的圖書館即無健全的教育」。

如果說：大學的心臟在圖書館，那麼圖書館的心臟就在於館藏了❶。圖書館如果沒有豐富合用的館藏，就無法提供完善的服務，所以說館藏是圖書館服務成敗的重要關鍵。如何以有限的經費蒐集到適用的館藏是圖書館最大的挑戰。館藏管理的重要性可由美國大學圖書館的組織結構看出端倪。在館長之下有三位副館長，除了傳統的「讀者服務」、「技術服務」外，亦特別設置一位專司館藏管理的副館長(Assoicate Dean for Collection Management)。

館藏管理的目的在求館藏經濟、有效地發展，以充分支援教學、研究所需。所謂「館藏管理」(collection management)實應包括「館藏發展」(collection development)、「館藏維護」(collection conservation) 以及「館藏評鑑」(collection evaluation)等方面❷。茲就館藏發展、館藏維護和館藏評鑑分述於后。

第一節　館藏發展

一、定　義

「館藏發展」(collection development)　一詞，至今尚無明確定義。伊文斯(Evans)認爲「館藏發展」係指依據圖書館之任務與功能以及讀者之需要等，來鑑定圖書館館藏資料之缺失或不足，並試圖就其既有缺失或不足予以改善的過程❸。此一過程包括六個循環的工作項目：1.館藏及讀者分析→2.確定選書政策→3.選擇→4.採訪→5.淘汰不符需要的館藏→6.評估→1.館藏及讀者分析……❹。

長久以來，我國大學圖書館主要是依靠部分教師配合館員進行選書工作。這種傳統作法，一方面由於採購人員的學識有限，面對浩如烟海的各類型刊物，往往力不從心，無從選擇;另方面，由於教師的流動性大，且不能從學科的整體角度來充實館藏，致使藏書未能作完整性、系統性的均衡發展。

欲避免此種缺失，有二個必備的條件，一是「館藏發展政策」的建立，一是「學科專家」的設置。雖然大多數大學圖書館都各有其開館宗旨，但其所設「目標」或陳義過高，或過於籠統而流於空洞，以致失去實際效果❺。準是以觀，擬定詳盡的館藏發展政策確有必要。約言之，館藏發展政策制定的目的在求圖書經費的合理分配以及圖書館任務的達成❻。

二、館藏發展政策

「館藏發展政策」(collection development policy)是指將所欲蒐集的各種資料項目依其優先順序予以公開陳述的文件。書面的館藏發展政策是必要的，因爲在擬定過程中，可重新檢視該一機構的目標與功能及其服務對象的需求。它的建立，可作爲現行作業的依據，以及未來成長擴展的基礎。除可確保圖書資源能有均衡、完整的發展外，亦可作爲促進館際合作與資源分享的參考工具。

一套詳實的館藏發展政策具有許多功能，玆分述如下：

1. 自我了解藏書之優劣得失。
2. 確保館藏成長之穩定性與持續性，俾有完整、均衡的發展[7]。
3. 建立蒐藏與否的原則，杜絕外界壓力，並可掌握入藏資料的品質。
4. 爲館際合作、資源分享奠定良好的基礎[8]。
5. 可作爲選書人員的指南與工具[9]。
6. 擴大參與面，可促進館員與教職員的共識與溝通，作好圖書館的公共關係[10]。
7. 合理編列購書預算，保障充足的經費來源[11]。
8. 將大學教育的理念融入圖書館的目標，以確定大學和圖書館的密切關係[12]。
9. 顯示現行館藏之特色與性質[13]。
10. 提供長程計畫和未來發展的架構[14]。

三、館藏發展政策的制定原則

雖然具有完善的館藏發展政策，未必保證會有理想的館藏；但不容置疑的，它可作爲經營館藏的大綱和指引，有助於建立理想的館藏。

近年來，有關各種「政策」(policy)的重要性論著屢見於圖書館學文獻⓯；一九七八年，美國圖書館協會(American Library Association)更發表了有關選書政策的「指南」(guidelines)⓰。擬定館藏發展政策時，須兼顧下列幾個原則：

1. 目的性

大學圖書館成立的目的在配合大學教育的宗旨，精選教學、研究和其他各種相關活動所需的圖書資料，從而建立旣專又博的藏書體系；故其考慮重點在於母體機構的長短程發展計畫及財政狀況的配合⓱。

2. 系統性

圖書館的成功與否，端視其滿足讀者的程度。因此了解讀者，採訪其所需求的資料，是圖書館成功的首要條件。館藏發展政策之制定須確定讀者的需要，同時配合這些需求，建立經費分配的優先次序，並與有關的圖書館取得協調與合作，以期館藏能有計畫、有重點地成長⓲。藏書體系最重要的特點是嚴密的組織性與科學的計畫性。它必須有輕重緩急之分，有主幹分枝之別。

3. 整體性

由於資訊的爆發、出版品的劇增，沒有一所圖書館能夠全部購買所需的資料，因此館際間資源的分享已成爲必然趨勢，各館除應就所屬大學立場考慮外，亦須注意館外資源的獲得。每所大學圖書館均負有保存人類知識文化的責任，故在顧及各館的特殊需求之餘，尙須配合全國整體性圖書資源的發展⑲。

4. 適應性

館際合作、全國圖書資訊網的規劃固會影響館藏的發展⑳，而學校的任務、學科的設置、讀者的閱讀習慣和研究興趣、教職員的流動，以及出版品發行的情況等客觀條件亦會影響館藏發展政策的修訂，所以館藏發展政策須予適時、定期評估，以反映各種改變，使預算分配採取適當因應措施。

四、館藏發展政策的內容

一般說來，館藏發展政策包含的要素，大致是：

1. 分析所屬機構的一般性目標

此包括服務的對象、蒐藏的性質、支援計畫的種類、選書的一般優先次序和限制、可資補充或影響教育政策之區域性或全國性的合作收藏協定等等㉑。

2. 學科範疇的細節分析

採訪政策包括範圍和深度；範圍係指館藏的學科或類目，深度則指每一類目所蒐集之程度。此可按類科排列，每一學科類目要指出現存的強度標準、研究風氣的趨勢、各學科的特性，以及配合計畫需要所欲達到的標準。此外，對語言、收藏年代、地理區域、資料形式、負責選書的單位及各學科的選書者等，均須一一說明㉒。

3. 形式上的細節分析

有些圖書館對特殊館藏之蒐集亦標明資料之形式，如報紙、微縮資料、手稿、政府出版品、地圖、視聽資料及電腦磁帶等等。

4. 複本問題

複本指的是文獻的重複本。複本量的計算是一門大的學問，它既受經費的約束，又受「讀者需要」的支配，所以有關複本書的處理方法須詳細說明，以求取經濟效益最佳的平衡。

5. 贈書問題

接受贈書並非完全免費，除了要查對本館是否已有蒐藏，又須分類、編目、上架，涉及圖書館的人力和書架的空間，因此對於贈書的接受應有明確的政策，不能「來者不拒」的照單全收㉓。

第二節　館藏維護

一、藏書保護

「藏書保護」(preservation)在大學圖書館的經營中已漸獲注意[24]。黑曾(Hazen)曾爲文强調藏書保護與館藏發展、館藏管理的密切關係[25]。整體性藏書保護決策實包括館藏管理和環境控制。藏書保護專家所提供的有關成本和經濟效益的數據資料，有助於學科專業館員選書之參考。

作藏書保護之決策時須考慮的因素有下列幾方面：

1.學術活動或讀者需求：

所授予學位的多少、入學人數、課程數目等。

2.歷史慣例與傳統：

原有館藏的特色雖不一定和目前的急需相吻合，但一個豐富充實的藏書體系會因被選作爲全國性學術資源發展的重鎮，而受到特別的支持和補助。

3.出版物的情況：

圖書資料的數量與成本均可反映費用與經濟效益。在面臨低預算與高費用的同時，藏書保護專家須有所權衡。

4.採購方式以外其他可資利用的方法：

有效的館際互借，可減輕某些壓力。

5.各學科對資訊使用的方式：

如物理學方面的電腦數據已被視爲科學研究的重要工具。法學資料庫(LEXIS)的出現也對法律文獻的採購、維護發生影響[26]。而電子印刷品的普及更帶來新的啓示。

欲長久保存圖書館的資料，必須定期維護。至於維護方法有下列幾種方式：

1. 改進資料的貯存環境

有關溫度和濕度的控制、空氣的過濾淨化、帘幕與遮護物之避光措施，以及專門維修方法和防災設備等，均為環境保護的要項㉗。魯特 (Root) 建議，最適當的溫度和濕度應是㉘：

種　類	濕　度	溫　度
書和報章	50°～55°	65°
微縮片	40°～45°	65°～68°
電影片	40°～50°	65°
錄音帶	55°	65°～68°
幻燈片	25°～30°	30°

2. 延長文獻的物理壽命

透過化學藥物處理或修補、裝訂手續，可延長資料保存期限，而流通政策、安全保管等措施亦會影響資料的壽命。

3. 改變資料的貯存型態

微縮片、光碟等各種新的資料型式不僅可節省空間，亦可長久貯存而不變質。

此外，當然還包括禁止讀者攜帶食物入館，以免引起蟲蛀等災害，教導使用者正確的取書、用書方法，以免損壞書籍等，亦是重要的維護方法。

二、汰　書

所謂「汰書」(weeding)，或稱「去書」、「圖書淘汰」、「註銷」，是將多餘的複本、破損不堪的舊書、不合時代主題等無用的資料，自館藏註銷或遷移他館。被剔除的圖書可以另行儲藏、贈送、交換或出售等等㉙。汰書的主要目的在「去蕪存精」，以節省空間，改善檢索，保持圖書館的生機，進而促進使用率的全面提高㉚。

汰書工作和採訪業務是一體的兩面，相輔相成；是館藏發展的重要環節之一。沒有適當的、有時效的汰書規劃，館藏效用就無法彰顯。然而國內各大學圖書館很少有計畫、有系統地進行此項工作。除了法令突破的困難、心理障礙、時間不夠等因素外，圖書館的規模和信譽也是阻力。

要之，汰書工作不是一朝一夕的過程，而是一種持之以恆的工作，一般所根據的原則如下：

1. 已有新版的舊書。
2. 書籍破損，不堪重新裝訂者。
3. 內容陳舊，已有其他新穎資料可取代者（尤以自然科學方面為然）。
4. 使用率較低的圖書。
5. 無使用價值的贈閱本。
6. 在附近區域儲存中心可借得者。

此外，尚須明辨圖書在該領域中的歷史意義，有些書，版本越舊越有價值，即使外形狀況破損，仍須設法修補，盡力維護。

第三節　館藏評鑑

合理採購圖書，建立一個理想的館藏，讓圖書充分發揮作用，滿足讀者的需求，是圖書館最大的職責。就館藏發展而言，圖書館員的責任並非隨著了解讀者需要、確定館藏目標、實地選購圖書資料就告結束。館藏必須持續不斷地維護，藉著評估已獲得的資料，淘汰不需要的圖籍，使圖書館所保存的文獻都是最具價值或最常被利用的資料。

經由館藏的評鑑，可以了解讀者閱讀興趣、研究傾向的變化，以便適時調整、補充館藏，使館藏的內容能與讀者的實際需求同步發展。更具體的說，通過評估，以回答下列幾個問題：㈠收藏的圖書、期刊能否滿足全校師生不斷變動中的需求？㈡研究級和教學級的藏書比例是否合理？㈢複本書的效益是否審慎比較過？㈣各類學科的藏書結構是否合理？

一、評鑑館藏的好處

墨敍爾(Mosher)曾指出：有計畫的館藏評鑑有許多好處㉛：

1. 對館藏的範圍、深度和使用情形能有進一步了解。
2. 可作為館藏發展計畫的基礎和指引。
3. 有助於館藏發展政策的擬定。
4. 是館藏發展政策的有效測量計。
5. 可確定館藏品質及其適宜性。
6. 是館藏不足的補救工具。

7. 將人力、經費投注於最需要發展的館藏。

8. 是要求增加圖書經費的憑藉。

二、館藏評鑑的方法

評估大學圖書館的館藏有許多方法，大體說來，有質、量、使用情形等三種方式，茲分述如下㉜：

1. 質的評鑑

(1)主觀印象法（impressionistic）

直接訪問經常使用館藏之教師、學者、或利用問卷來了解讀者之反應；或邀請各學科類目專家評定藏書之優劣㉝。此一方法的缺點在於專家難覓、經費昂貴、不具客觀性等。

(2)書目核對法（list checking）

將館藏和一些「標準書目」互相核對，審視館藏所佔各書目錄比例的多寡。一般假設是圖書館擁有書目所列各書的比例愈高愈好㉞。此為所有館藏評鑑方法中最傳統、最容易使用的一種。優點包括使用方便、可信度高，且統計數據詳實等㉟。惟其缺點則有參與人數少，較不客觀；若未定期修訂，甚易因過時而不適用；各館之間將失去獨特性等弊病㊱。

為免遭受嚴厲批評，此方法近年來曾出現一些「修正」或「改良」。如寇利(Coale)以「引用文獻分析法」(citation analysis method)，將紐伯利(Newberry)圖書館所收有關拉丁美洲殖民時期的資料和當代作家的作品比對，來解答「以本館的資源能否寫成此書」的問題㊲。麥殷尼斯(McInnis)也根據一些專門性著作所引用的文獻，以隨機抽樣方式來分析館藏的虛實强弱[38]。而勾德候(H. Goldhor)則採「歸納法」，利用一些選書工具、書評雜誌及回溯性書目等核對館藏[39]；如果館藏各書能見於多數工具書目，則可肯定該書之必要性很高(desirable)；反之，未見於任何書目者，亦可視爲不必要收藏(not desirable)之項目。

2.量的評鑑

量的評鑑有多種方式，最常見者爲館藏大小(size)及館藏成長率(growth of the collection)。一般咸認質與量有相當程度的關係[40]，喬丹(Jordan)的研究顯示，大學的優良學術性(academic excellence)往往與其館藏的大小成正比[41]。由各館每月的進書數量、圖書經費，可以窺出大學圖書設備之良窳。

克萊普與喬丹(Clapp & Jordan)[42]、以及福克特(Voigt)等[43]曾提出有關館藏數量評鑑的基本公式。除了一館核心藏書爲基準外，所頒授的學位、系所數、課程數以及教職員生人數等均是變項數。大體說來，這些公式計算法的缺點是未能明辨不同學科的需求性[44]，更有機構將這些基本公式的下限詮釋爲館藏成長的上限。

3.館藏的使用率(use factor)

誠如伯恩(Bonn)所言，圖書館存在的主要目的在於滿足使用者的需求，故館藏的評估亦可由其使用情形看出端倪[45]。亞克斯福(Axford)曾强調「館藏使用率」的重要性，認爲惟有透過長期、科學性的觀察，才能確保館藏有效而適用地成長[46]。

著名的「布萊德佛定律」(Bradford's Law)曾指出：少數的核心期刊可以滿足大多數人的要求❹❼。而杜斯威爾(Trueswell)的「二十／八十原則」亦顯示：大學圖書館中，百分之二十的圖書資料占了百分之八十的出借總數❹❽；易言之，百分之八十的出借圖書集中於百分之二十的館藏資料。所以資源有限，購置一些不常被讀者利用的圖籍是一種不當的浪費。

雖然「流通記錄」可以作為館藏使用情形的指標，但不可否認的，流通記錄高的項目往往是館藏足夠的部分。因而有人建議由「館際合作」的申請件數來審視館藏的缺失與不足，如阿吉拉(Aguilar)即主張以「館際合作申請單」的統計，佐以流通記錄來分析、評鑑館藏❹❾。

美國圖書館協會為館藏發展政策制定的「指南」裡，一再強調：最好的評鑑常須利用一種以上的方法來進行，並比較其結果❺⓿。墨敍爾也指出：如果館藏發展政策注重的是「不須包括的範圍」(exclusion)，則上述讀者使用情形和引用文獻分析法就可提供較為有效之評估；反之，如果强調的是「所須涵蓋的項目」(inclusion)，則書架清點 (shelf - list count) 或書目核對等量的評鑑較為適用❺❶。

第四節　館藏發展的組織單位

館藏發展是一個循環過程，其工作範圍包括採購部門的選擇和採訪，以及閱覽、參考、典藏等部門之反應讀者需要、分析館藏、汰除不合需要之館藏等。然而國內一般大學圖書館大多沒有館藏發展的正式組織或專門職位。正因其爲一項跨單位的工作，所以須有一正式組織，才能發揮功能，達成任務[52]。

理想的大學圖書館選書組織須有以下的基本結構：

一、館藏發展委員會

館藏發展委員會扮演總體設計師的角色，其成員應有館長、採訪主任、學科目錄學者〔或稱書目員(bibliographer)〕以及讀者服務部門的有關負責人等。

二、學科目錄學者

學科目錄學者(subject bibliongrapher)一詞起源於德國；他們通常具有專門學科博士學位的資格以及圖書館學碩士的資歷。其主要功能有四：1.負責選書。2.協助其他部門館員。3.幫助學生及教師找尋研究資料。4.開授「圖書館利用指導」及各專門學科文獻等課程。

在館藏發展過程中，學科目錄學者究竟扮演何種角色呢？以初任學科目錄學者的新手來說，第一要務是熟悉本館館藏及鄰近圖書館的資源，進而研究本館館藏發展政策；若已訂有採購政策，則審視其範圍和界定是否合乎實際？是否過時？能否適應當前需要和未來目標等種種問題[53]。

再者，學科目錄學者須閱讀各院系概況所述的課程表、教學目標，以獲得一些指引、概念。此外，對大學部和研究生人數、各系所研究計畫、教師特殊興趣等均須有所了解。學科目錄學者在初次與教師接觸時，要有圓通的技巧才能使其樂於參與選書的工作，而對某些問題的幫助很表感激。但必須注意的是：館藏的最終責任仍應屬於學科目錄學者。

總之，學科目錄學者所要研究的內容應包括：1.該學科的歷史、現況和發展趨向。2.相關的教學科目和研究計畫。3.本校該學科專業人員的結構狀況。4.國內外相關學術團體的活動及出版社的發行情況。5.相關的回溯性書目和書評資料。6.該學科出版物的收藏和利用情形。

三、系選書委員會

系選書委員由系主任和各專業科目教師代表及系學科專業資料館員組成。

四、採訪部門

採訪部門館員除須注意各出版書目、回溯性書目等資料之收集外，尚須隨時和學科目錄學者取得聯繫，告知急需訂單（rush order）之處理情形，並定時評估代理商之服務。

五、讀者服務部門

可從讀者角度提供回饋意見，使館藏能滿足大多數讀者的需要，以期館藏規劃更爲完善。

第五節 館藏管理的思考模式

伊文斯[54]和史丹姆（Stam）[55]均曾探討過有關館藏發展計畫

的困難，如涉及：選書人員的主觀性、理想與實際的差距、科際系學科的複雜性以及各種政治因素的考慮。本節僅就：㈠館藏分析和評鑑的邏輯架構(A Concept Model for Collection Analysis and Measurement)[56]，㈡結構性與功能性系統模式(Structural - Functional System Model)[57]，㈢北美洲館藏發展計畫(North American Collection Inventory Project)[58]等三種模式加以討論。

一、館藏分析和評鑑的邏輯架構

如圖六所示，「外在環境」包括：1. 讀者需求。2. 教職員研

圖　六：館藏分析和評鑑的邏輯架構

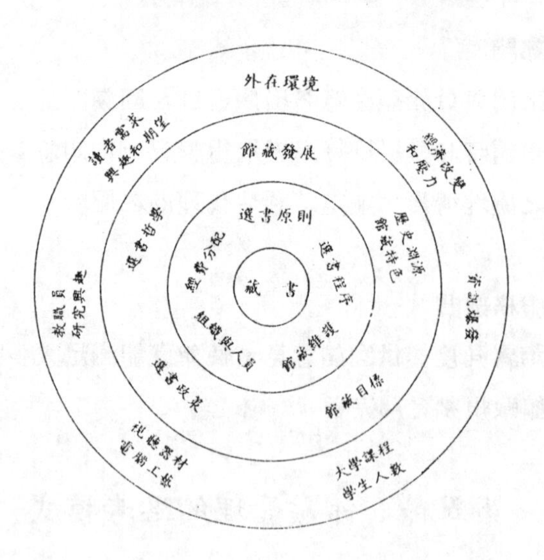

資料來源：ARL, Collection Analysis in Research Libraries: An Interior Report on a Self-study Process, p. 7.

究興趣。3.教學器材。4.大學課程。5.學生人數。6.資訊資源。7.經濟能力等各種變數。爲因應這個特殊環境所擬定的「館藏發展政策」，其實代表了選書哲學、選書政策、館藏目標和歷史特色等因素的考慮。在這個架構之下，確定了館藏的範圍與深度。這其中又涉及經費分配方式、組織與成員、館藏維護和選書程序等細節。

二、結構性與功能性系統模式[59]

如圖七所示，「需求」(demands)包括：1.經費分配模式的變更。2.更多的參與者。3.更多的資訊。4.資料選購程序的改善等方面。「支援」(supports)則指：1.大學的經費預算。2.選書者對現存經費合理分配的認可。3.館藏發展委員會角色的扮演。4.使用者對館藏發展委員會功能的支持與挑戰。而「轉換過程」(conversion process)係涵蓋：1.各種興趣的表達。2.政策的草擬。3.決策的確定。4.付諸實行。5.衝突的解決。6.溝通等步驟。至於「輸出」(outputs)則有：1.各種資源的爭取。2.經費的合理分配。3.行爲規範。4.象徵性的功能與意義。

結構化理論中，「結構」指的是個人社會行動的制約和參照的基礎，對個人發生「作用」，但這種作用，並不是單向的，它具有回覆性，從結構化理論的觀點，「結構」與「行動」並非兩個獨立的個體，而是互相呼應與相互塑造的一體，結構與與行動二者，既是影響對方的起因，也是受到對方影響的結果，所以是個「轉換的過程」(Conversion)[60]。

這種結構性與功能性的思維模式具有下列效益：

圖　七：館藏管理的結構性與功能性系統模式

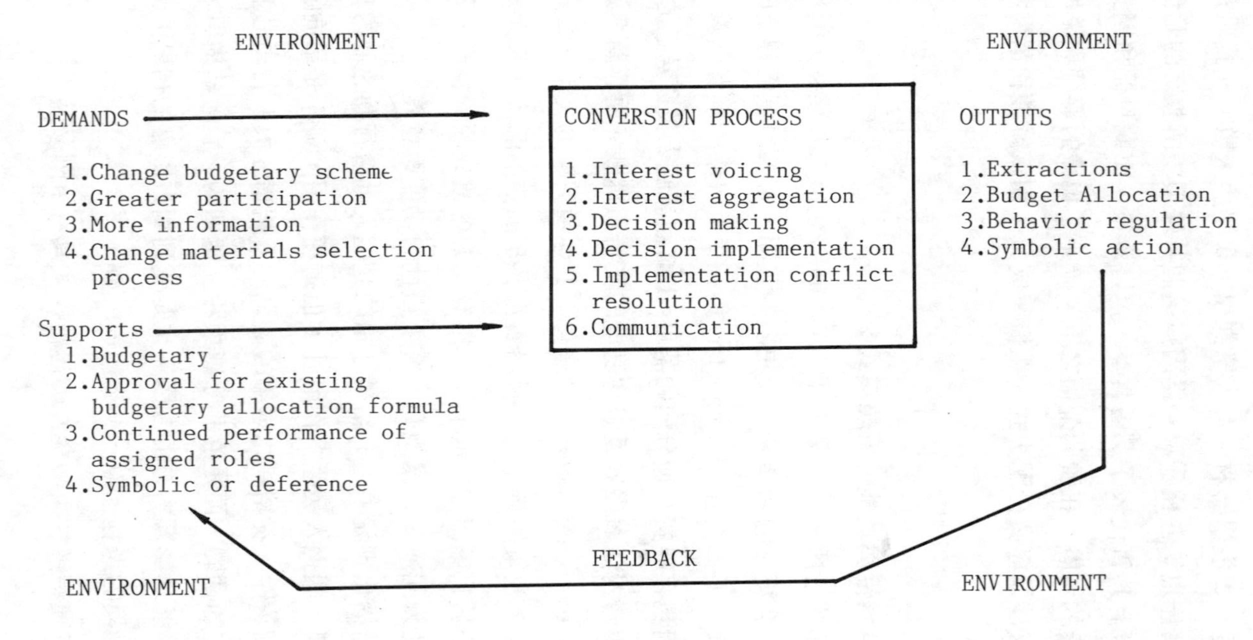

資料來源：Anthony W. Ferguson, "University Library Collection Development and Management Using a Structural-Functional Systems Model," *Collection Management* 8 (Spring 1986): 8.

1. 可作爲系統分析工具，將參與者的興趣、權利一併列入考慮。
2. 對圖書館和其他部門的關係提供理論架構的分析。
3. 改變圖書館員傳統性、保守性、被動性的觀念與看法。
4. 顯示圖書館是連接需求與支援的主要橋樑，是動力性的有機體。
5. 使館員對資料的選購能面面俱到。
6. 說明決策的建立過程與實行情形。
7. 每種決定都有其理論依據。

三、北美洲館藏發展計畫

過去的二十年，由於「館藏發展」已被公認爲圖書館業務的重要環節，有關「館藏發展政策」的架構也漸趨標準化、規格化[61]；其所包括的要素經美國圖書館協會「指南」[62]訂定後，復經奧茲本(Charles Osburn)補充[63]。現在的統一格式涵蓋了圖書館目標和各學科範疇之界定。

雖然「圖書館服務宗旨的分析、讀者以及有系統地規劃目標是館藏發展政策學科分析之大前提」[64]，不過，館藏發展政策的核心仍在學科的細分以及層次的判斷，美國研究圖書館組織(Research Library Group)先有一九八〇年的「綱要(Conspectus)」研究，嗣有一九八三年的「北美洲館藏發展計畫」。

葛文(Gewinn)和墨敍爾曾指出：這個「綱要」可作爲館藏評估的工具，並可藉以加强館際間的聯繫合作。蓋因此一「綱要」是美國研究圖書館組織各會員館藏特色的描述，以及未來發展的指標[65]。其製作方法係依標題、類碼，或兩者合併等三種方式排列，並有一標準碼作爲收藏層次的區分。而「北美洲館藏發展計畫」則是此一「綱要」的延伸，包括美國研究圖書館級的一一七個會員館。

美國圖書館協會館藏發展委員會建議將館藏的性質、層次分爲下列各等級來描述：

5. 詳盡級(comprehensive level)：普遍蒐集所有記載知識的資料，亦即在求蒐藏之完美無缺。
4. 研究級(research level)：蒐集撰寫論文或獨立研究所需要的資料。
3. 教學級(study level)：蒐藏足以支援大學部和研究所教學所需用的資料。
2. 基礎級(basic level)：館藏僅提供讀者最基本的資料。
1. 最低級(minimal level)：只蒐集基本工具書[66]。

此外，對每一類科均有一語言代號以表示各種資料收藏程度；如E表示主要是英文資料，F表示除英文外，尚有部分外國語文資料，W表示廣泛收藏各種相關語文資料，Y則表示以本國語文爲主的區域研究資料。如此一來，各館間，將有一共通的語言代號，亦可據以知悉各館館藏特色[67]。舉例而言，ECS:4F, CCI:3E 之ESC表示原有藏書情況(Existing Collection Strength)，CCI則代表目前藏書重點(Current Collecting Intensity)；4F 表示研究級館藏，收藏部分外國語文資料，3E 則指蒐集教學有關資料，且以英文爲主(參見表一)。

以圖八爲例，可假定如果經費來源固定，則應用深度與廣度

表　一：印第安那大學圖書館館藏代號範例

Class	Subclass	Description	location	ECS	CCI	Geography	Comments
	HD 251-279, 1361-1395	Real Estate	BUS	4E	4E		
			UGL	1E	0	US	
	HD 1330-1339	Tenant and Landlord	Main	3E	3F	WO,	Except Area Studies except:
HD 1401-2210		Agriculture	Main	1E	1E	WO	AF=4W/4W, NE=1W/1W
			BUS	1E	0		EA=0/3Y, LA=2F/2F
			DOCS	3	3	WO	
			GEOG	3E	3E	WO	Spatial Aspects
			Lilly	1E	0	US,WE	
			UGL	2E	2E	WO	
	HD 1691-1696	Water Res, Dev	GEOL	2E	2E	US	
			SPEA	2	2	US.LA	
HD 2321-3570.9		Industry	BUS	1E	1E		
			Main	4W	4W	AF	NE=1W/1W LA=1F/1F EE=2W/2W
			DOC	3	3	WO	
			GEOG	1E	1E		
			UGL	2E	2E	US	
	HD 2341-2930.7	Corporations	BUS	3E	4E		
	HD 2963	Indus. corp.,Mutual	SPEA	2	2		
HD 3611-4730.9		Industry and State	Main	3E	3E	US,WE	NE=1W/1W, EE=2W/2W EA=0/3Y Chinese Only LA=1F/1F

資料來源：Unpublished document, Indiana University Libraries, "Preparing the Conspectus: Guideline", 1984.

圖　八：**有固定預算的民俗學圖書經費模式**

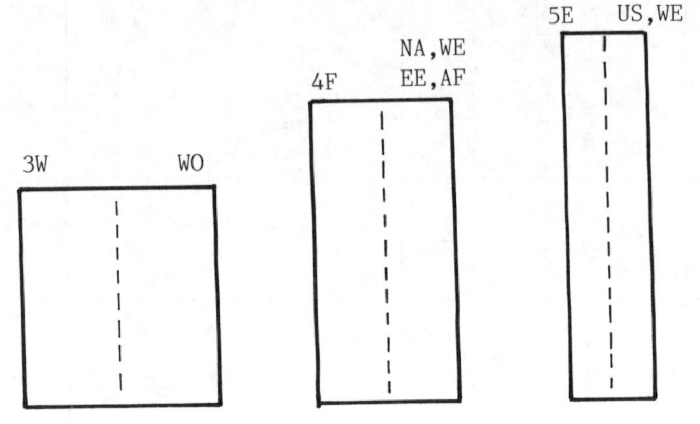

WO: Worldwide　　　　EE: Eastern Europe

NA: North America　　　AF: Africa

WE: Western Europe　　　US: United States

二項空間可有多種變化模型。同樣的經費可用來採購各國有關民俗的文獻，以供教學需要，亦可僅收集美國或西歐一地專精且豐富的研究館藏，抑或在兩者之間求其平衡點，即作重點式、選擇性地蒐集教學、研究所需資料。

第六節　結　論

提高館藏的質量，使資訊資源發揮最大的效益，是圖書館工作中最重要的一環。大學圖書館必須根據自己的對象和任務，將各種不同學科、不同語文、不同形式的資訊媒體蒐集、整理，以期構成一個「有縱有橫、有專有博」互相配合的館藏。維持館藏平穩成長是應付藏書遽增、空間有限、費用高昂的主要對策，同時也是加强圖書館服務效果的必要措施。可是在達到適度平穩成長之前，必須先明瞭館藏之目的、圖書館的服務宗旨、預期達到的目標，以及完善的館藏維護措施、和有系統的館藏評鑑方法，俾能定期追蹤考核，適時調整更新。

自從「館藏發展」、「館藏維護」的觀念興起後，國外有關「館藏管理」的文獻多如牛毛。反觀我國，雖然圖書館學系也有「館藏規劃」(collection development) 等課程的開設、但其眞正的理念卻未能在大學圖書館落實、生根，良以爲憾。今後若要眞正充實大學圖書館的館藏，除了喚起國人多注意這方面的觀念，還要有下列幾項工作配合：

一、培養優秀的選書人員

要提高館藏的質量，最迫切的莫過於受過嚴格訓練的選書人員，這些人在具備工作的熱忱，協調的能力之餘，更須有專業知識的涵泳。

二、加强調查研究

調查研究是做好館藏發展的先決條件。要調查的項目包括藏書的數量、分類體系、各類學科的比例以及書刊資料被利用的情形。圖書館的質量固在於館藏的優劣，更在於它爲讀者服務的實際效果。

三、改進研究方法

館藏管理的研究，既要重視實際問題的解決，也要注意理論性的探討；宜多方引進其他學科的理論基礎作爲研究手段，如計量書目學(bibliometrics)是一門科際性學科，利用數學和統計學方法來評量書刊資料，進而描述各學科的特徵，以掌握某學科發展的趨勢。此外，如文獻利用率的調查、經濟效益的評估等研究均有助於館藏的管理。

四、採取分工合作的方式

我國科技館際合作組織，自民國六十一年創立迄今，已屆十七個年頭，會員單位也由七個躍而爲二四三個。但彼此間的合作，僅限於資料影印與互借，未能彰顯館際合作多方面的功能。希望今後能針對館藏管理的特殊性、複雜性，採取多種形式的合作。先做好各館內部資源調查，文獻使用情形的評估，進而與有關單位協調，建立系統性、重點式的完整館藏。

五、借重教師的力量

教授們參與選書常呈兩極化的現象：一種是漠不關心，相應不理；一種是貪得無厭，予取予求。如何借力使力，取得其中的平衡點，端視館員們的慧心。在「動之以情，曉之以大義」之餘，必須予教授們更大的彈性空間（如報銷的方便、目錄的提供等）使教授們的智慧能夠反映在藏書的質量上。

附　　註

❶ Y.T. Feng, "The Necessity for a Collection Development Policy Statement," *Library Resources & Technical Services* 23 (Winter 1979) : 39.

❷ Nina J. Root, "Decision Making for Collection Management," *Collection Management* 7 (Spring 1985) : 93.

❸ G. Edward Evans, *Developing Library Collections* (Littleton, Colo: Libraries Unlimited, 1979).

❹ 同❸。

❺ Albert C. Lake, "Pursuing a Policy," *Library Journal* 90 (June 1, 1965): 2491-94.

❻ Dick Johnston, "Book Selection Policies," *Michigan Librarian* 28 (March 1962) : 12-13.

❼ 同❶，頁 41。

❽ 同❼，頁 42。

❾ Charles B. Osburn, "Some Practical Observations on the Writing, Implementation, and Revision of Collection Development Policy," *Library Resources & Technical Services* 23 (Winter 1979) : 7.

❿ 陳興夏，「館藏規劃與評鑑」，圖書館學講座專輯之四，（高雄市：國立中山大學，民國 74 年），頁 5-6。

⓫ 同❾。

⓬ Charles B. Osburn, "Planning for a University Library Policy on Collection Development," *International Library Review* 9 (April 1977) : 209.

⓭ American Library Association, "Guidelines for the Formulation of Collection Development Policies," *Library Resources & Technical Services* 21 (Winter 1977) : 41.

⑭ 鄭肇陞，「醫學圖書館採訪政策」，慶祝藍乾章教授七秩榮慶論文集（臺北市：文史哲出版社，民國73年），頁219。

⑮ Marion L. Buzzard, "Writing a Collection Development Policy for an Academic Library," *Collection Management* 2 (Winter 1978): 317.

⑯ American Library Association,"Guidelines for the Formulation of Collection Development Policies," *Library Resources & Technical Services* 21 (Winter 1977): 40-47.

⑰ 同⑯。

⑱ 同⑬，頁43。

⑲ 同⑫，頁213。

⑳ 同⑲。

㉑ 同⑱，頁44。

㉒ 同㉑。

㉓ 同⑭，頁223。

㉔ Mei-hwa Yang, "Library Education and Personnel Planning in the Republic of China on Taiwan," Ph. D. Dissertation, Indiana University, 1986.

㉕ Dan C. Hazen, "Collection Development, Collection Management, and Preservation," *Library Resources & Technical Services* 26 (January/March 1982): 3-11.

㉖ 同㉕，頁8。

㉗ 同㉕，頁4。

㉘ 同❷，頁99。

㉙ Stanley J. Slote, *Weeding Library Collections* (Littleton, Colo: Libraries Unlimited, 1975).

㉚ 何光國，「論館藏控制」，中國圖書館學會會報，第三十五期（民國72年12月），頁109。

㉛ Paul H. Mosher, "Collection Evaluation in Research Libraries : The Search for Quality, Consistency and System in Collection Development," *Library Resources*

& Technical Services 23 (Winter 1979): 16-32.

㉜ F. W. Lancaster, *The Measurement and Evaluation of Library Services* (Washington, D.C.: Information Resources Press, 1977), p.166.

㉝ Rudolph Hirsch, "Evaluation of Book Collections," in *Library Evaluation*, ed. Wayne S. Yenawine (Syracuse: Syracuse University Press, 1959), pp. 7-20.

㉞ Cynthia Comer, "List-Checking as a Method for Evaluating Library Collection," *Collection Building* 3 (1981): 27.

㉟ Elizabeth Futas, "Issues in Collection Development: Collection Evaluation," *Collection Building* 4 (1982): 74-75.

㊱ 羅禮曼，「館藏評鑑：以書目核對法爲例」，國立中央圖書館館刊，新十九卷，第一期（民國 75 年 6 月），頁 42 。

㊲ Robert Peerling Coale, "Evaluation of a Research Library Collection: Latin-American Colonial History at the Newberry," *Library Quarterly* 35 (July 1965): 173-184.

㊳ Marvin R. McInnis, "Research Collections: An Approach to the Assessment of Quality," *IPLO Quarterly* 13 (July 1971): 13-22.

㊴ Herbert Goldhor, "A Report on an Application of the Individual Model of Evaluation of Public Library Books," *Libri* 31 (August 1981): 121-129.

㊵ E. E. Willams, "Surveying Library Collections," in *Library Surveys*, ed. M. F. Tauber & I. R. Stephens (New York: Columbia University Press, 1967), pp.23-45.

㊶ R. T. Jordan, "Library Characteristics of Colleges Ranking High in Academic Excellence," *College and Research Libraries* 24 (September 1963): 369-376.

㊷ Verner W. Clapp and Robert T. Jordan, "Quantitative

Criteria for Adequacy of Academic Library Collections, " *College and Research Libraries* 26 (September 1965): 371-380.

43 Melvin J. Voigt, "Acquisition Rates in University Libraries," *College and Research Libraries* 36 (July 1975): 263-271.

44 Rutherford D. Rogers and David C. Webber, *University Library Administration* (New York: H.W. Wilson Co., 1971), p.291.

45 George S. Bonn, "Evaluation of the Collection," *Library Trends* 22 (January 1974): 265.

46 H. William Axford, "Collection Management: A New Dimension, " *The Journal of Academic Librarianship* 6 (January 1981): 324-329.

47 S.C. Bradford, *Documentation* (London: Groshy Lockwood, 1948).

48 R. W. Trueswell, "Some Behavior Patterns of Library Users: The 80/20 Rule," *Wilson Library Bulletin* 43 (1969): 458-461.

49 William Aguilar, "The Application of Relative Use and Interlibrary Demand in Collection Development," *Collection Management* 8 (Spring 1986): 15-23.

50 同⓭，頁40-47。

51 Paul H. Mosher,"Quality and Library Collections: New Directions in Research and Practice in Collection Evaluation," *Advances in Librarianship* 13 (1984): 211-238.

52 王錫璋，「館藏發展與本館採訪作業」，國立中央圖書館館刊，新十三卷，二期（民國69年12月），頁5-11。

53 Manuel D. Lopez, "A Guide for Beginning Bibliographers ," *Library Resources & Technical Services* 13 (Fall

1969): 462-470.

[54] Robert W. Evans,"Collection Development Policy Statements: The Documentation Process," *Collection Management* 7 (Spring 1985): 69-70.

[55] David H. Stam," Collaborative Collection Development: Progerss, Problems, and Potential," *Collection Building* 7 (1986): 6-8.

[56] ARL, Collection Analysis in Research Libraries: An Interim Report on a Self-Study Process.

[57] Anthony W. Ferguson, "University Library Collection Development and Management Using a Structural-Functional Systems Model," *Collection Management* 8 (Spring 1986): 1-14.

[58] Indiana University Libraries, Preparing the Conspectus : Guidelines, 1983.

[59] 同[57]，頁5。

[60] 張維安，「結構與行動」，中國論壇，第324期（民國78年3月），頁5。

[61] 同[15]，頁323。

[62] 同[13]。

[63] 同[12]，頁209-24。

[64] Sheila T. Dowd, "The Formulation of a Collection Development Policy Statement," in *Collection Development in Libraries: A Treatise*, ed, Robert D. Stueart and George B. Miller, Jr. (Greenwich, Conn.: JAI Press, 1980), p.73.

[65] Nancy E. Gewinn and Paul H. Mosher, "Coordinating Collection Development: The RLG Conspectus," *College and Research Libraries* 44 (March 1983): 129.

[66] 同[13]。

[67] 同[55]，頁3-9。

第三章　合作館藏發展

第一節　緒　論

據統計，至目前爲止，全世界約有七千萬種以上的圖書，每年還有七十萬種新書出版❶，面對這浩如煙海，日以劇增的資料，即使藏書最豐富的圖書館也不可能單獨擁有所需的圖書。以美國哈佛大學圖書館聞名全球的館藏，其館長布萊恩(Douglas Bryant)猶有「今天的七百萬册圖書比六十年前的一百萬册圖書更不夠用。」❷之慨歎，遑論其他。圖書館間館藏資料的合作發展已不是願與不願的選擇，而是一種必然的趨勢。

合作採訪的目的在使合作的資源更爲充沛，並避免不必要資源的耗費❸。其所以必要，有許多理由：從主觀方面言，是出版量增加得太快、太多，使得圖書館收不勝收，外加有限的經費及圖書採購上的技術問題，迫使各館必須一而再限制收集的範圍。就客觀方面來說，讀者的知識需求，隨著教育普及，愈來愈高，也越來越多元化。由是圖書館不得不突破以往自給自足式的服務型態，向外發展，謀求可能的合作途徑❹。

第二節　美國圖書館在合作採訪方面的實踐

遠在一八九六年，芝加哥公共圖書館，約翰克瑞爾圖書館

(John Crerar Library)及紐伯利圖書館(Newberry Library)即有合作採訪計畫的訂定，分工蒐集專門的科別❺。一九一三至一九一四年間，更有哈佛大學、西北大學、布朗大學、美國考古學會 (American Antiquarian Society) 共同委託萊契斯坦(Lichtenstein)前往南美洲等十一個國家採訪所需之資料❻。除了一九四〇年間，三所國立圖書館——國會圖書館、醫學圖書館、農業圖書館——之蒐集原則協定外❼，尚有許多地區性之合作採購計畫，茲就重要者分述如下：

一、法明敦計畫 (Farmington Plan)

在美國的合作採訪計畫中，法明敦計畫是規模最大，也是最具前瞻性的一項，參加該項計畫的圖書館達六十餘所之多，而蒐集的範圍近一百個國家，爲各國圖書館合作採訪制度樹立了良好的典範❽。

法明敦計畫的構想——使美國境內至少有一個圖書館，藏有世界每一個角落的每一本書——係一九四二年十月九日，美國國會圖書館行政委員會在康內第州法明敦市(Farmington, Connecticut) 開會時提出的❾。經過數年籌劃，獲得紐約卡內基基金會的補助，於一九四八年一月十五日正式展開活動❿。

其工作目標在使美國圖書館界能互相合作，分工蒐集世界各國的刊物，務使美國以外其他國家的重要出版品，只要具有學術研究價值，均能有一份收藏在美國的圖書館中。這些資料非但詳細地列入國家聯合目錄，並且能以館際互借的方式，迅速流通至各個參與的圖書館⓫。

法明敦計畫的分工有兩種方式：一是指定蒐集的科別，如澳洲、墨西哥、南非等地，由各國的代理商將新出版品分別寄交負責蒐集某類圖書的圖書館；一是指定蒐集的國別，即由單一的圖書館負責某一國的全部出版品⑫。此計畫雖然因爲1.與美國國會圖書館全國性採訪計畫有所重複；2.各圖書館經費的緊縮；3.有些參與的圖書館，以「統購」方式採購圖書，執行時，缺乏審愼的督導，而於一九七二年九月終止實施⑬，但深具時代意義與歷史價值。

二、拉丁美洲的合作採購計畫 (Latin American Cooperative Acquisitions Program-LACAP)

參與法明敦計畫之圖書館，重視拉丁美洲出版品者，深感有每年開會討論各種有關拉丁美洲資料採購問題的必要，遂於一九五六年，於佛羅里達州首次召開拉丁美洲圖書館資料研討會(Seminar on the Acquisition of Latin American Library Materials-SALALM)。會中決議由書商史泰雪特-哈福那(Stechert-Hafner)辦理合作採購的業務⑭。

此計畫於一九六〇年正式實施，開了圖書館和書商合作之先河，但後來因Stechert Hafner的業務減少，不再具有經濟效益；且與其他採購計畫有所重複，再加上費用高昂，退書太多⑮，遂於一九七二年和法明敦計畫同時結束。

三、「四八〇號法案」專案計畫 (Public Law 480 Program)

遠在法明敦計畫結束以前，美國國會已有許多人關切海外圖書資源的取得，一九五四年，美國國會通過「農業貿易發展暨補助法案」(Agricultural Trade Development and Assistance Act)，授權國會圖書館館長在國會所決議指定用途的限度內，運用美國所擁有的外滙，購置外國出版品；以及在美國各圖書館設置資料之寄存地⓰。所謂「四八〇號法案」係「農業貿易發展暨補助法案」一九五八年的修正條款。於一九六一年開始實施，自印度、巴基斯坦；沙烏地阿拉伯等地著手。雖然此擧爲美國圖書館獲取了甚多資料，從一九六二至一九七二年間共收進了一千五百七十五萬件資料，但因外滙數額之不固定及日漸萎縮，遂與後來之「全國採購暨編目計畫」合併辦理⓱。

四八〇號法案專案計畫，儘管生命短暫，但卻具有劃時代的意義。它證明了：1.在第三世界國家設立一圖書採購辦事處是可行的，有了當地人員的協助，使得圖書之購買更完備，更具時效性。2.對於落後地區，書目資料不完善的國家，辦事處是提供書目的最佳場所。3.有關外國語文資料的編目，圖書館之間的合作勢在必行。4.由於有了此種合作經驗，使得美國圖書館界對「全國採購暨編目計畫」產生了信心，而奠定了後來合作的良好基礎⓲。

四、全國採購暨編目計畫(The National Program for Acquisitions and Cataloging)

一九六五年，美國高等教育法案(Higher Education Act of 1965)第二章第三條，授予國會圖書館經費，使其在可能範圍內，取得世界各國所出版有益於學術研究的圖書資料，並迅速提供新穎確實的目錄訊息⑲。

「全國採購暨編目計畫」於一九六六年中期開始實施，由於與外國的國家圖書館合作，得以加速採訪、編目之合作。參與計畫之圖書館有九十餘所之多，涵蓋地區達二十四國。資料遍及歐洲、亞洲、非洲及拉丁美洲，僅一九七二年一年，就爲美國購進七千多本圖書，六萬多份報紙、期刊，堪稱歷史上規模最大的全國性合作採訪計畫⑳。

「全國採購暨編目計畫」落實了合作編目的理想，也見證了圖書館之間的合作確實具有經濟效益。它除了使美國國會圖書館的館藏加速成長，更播種了「使研究人員不必千里迢迢地遠赴他國尋找資料」的「國際性採購暨編目計畫(International Program for Acquisitions and Cataloging)」的觀念。

五、研究圖書館中心 (Center for Research Libraries)

在理查遜 (Ernest C. Richardson) 提出「圖書館的圖書館 (A Lending Library for Libraries)」構想的五十年後㉑，美國十所中西部地區的大學圖書館，於一九四九年，在芝加哥成立「中西部館際中心」(Midwest Inter-Library Center)，共同貯存罕用圖書及合作採訪昂貴資料。一九六五年，由於會員資格之開放，遍及全國各地，遂改名爲「研究圖書館中心」，至目前爲止，計有一百九十個會員館和預備會員館(Associate members)㉒，館藏逾三百萬册㉓。

並不是所有大規模的合作採訪計畫均註定失敗的命運。「研究圖書館中心」的成功，開啓了另一種形式的合作採訪，其在購買單一圖書館所無法負擔的罕用、昂貴資料方面，發揮了極大的效益，有很深的啓示作用。整個活動項目包括：1.爲參與該計畫之各會員館提供貯存罕用資料之場所，俾日後之共同使用。2.合作採訪暨編目各種研究資料，如外國政府之官書、各大學之博士論文、學報及其他不易獲得之學術性出版品等㉔。

六、研究圖書館組織 (Research Libraries Group)

雖然「研究圖書館中心」合作採訪計畫有其成功的特性，但並不表示那是唯一的例子。一九七四年，哥倫比亞、哈佛、耶魯大學及紐約公共圖書館的成立「研究圖書館組織」㉕，眞正開始了「合作館藏發展」的新紀元。

「研究圖書館組織」，由於史丹福大學的加入，迅速發展了「研究圖書館資訊網」(Research Libraries Information Network)。目前擁有基本會員 (full member) 三十四個，輔會員 (associate member) 十一個，及特殊會員 (special member) 二十七個，雖然成員不多，但泰半是美國學術地位崇高的大學、研究圖書館，資料富且精㉖。主要的工作內容有四：1.合作發展暨管理館藏。2.資源共享。3.共同維護研究性資料。4.建立書目資料網絡。

一九七九年，紐約公共圖書館的史丹姆 (Stam) 和史丹福大學的墨敍爾(Mosher)於館藏管理和發展委員會主、副主委任內，提出「綱要 (Conspectus) 」的構想，使得「合作館藏發展」的觀念萌芽、生根，合作採訪的運動也往前推進了一步㉗。「綱要」是一個評估館藏的工具，其製作的用意有二：一是可以充分了解各圖書館的館藏特色，尤其是電腦連線的作業，從終端機上就可以掌握各種資源的來龍去脈；二是由於有了這個標準，共通的語言，館際之間的聯繫更爲便利㉘。

一九八二年時，有二十六個研究圖書館組織的會員館參與「綱要」的分析館藏工作，後來擴大爲三十四個會員館，至今，更演變成美國、加拿大研究圖書館協會一一七個會員館所贊助的「北美洲館藏發展計畫 (North American Collection Inventory Project-NCIP)」㉙。

由以上分析，可以發現合作採訪存在的問題及其失敗的原因。有些計畫因爲沒有事前通盤的考慮、事後良好的管理而告中輟；有些圖書館由於過份倚賴外界的支援，常因經費的短缺影響了計畫的進展㉚。大抵說來，合作採訪計畫的成功繫於下列幾個條件：1.基於共同的意願，能於合作中彼此受惠。2.有健全的組織，時時督導計畫的執行。3.有詳實新穎的館藏資料，供民衆查尋。4.有便捷的文件傳輸系統，迅速提供讀者借閱之資料。5.完善的溝通管道，隨時修正不妥的政策㉛。

第三節　國際圖書館協會聯盟的努力

國際圖書館學會聯盟(IFLA)於一九六六年在海牙舉行大會，宣布編目合作計畫，開創國際書目控制的先聲，一九七五年正式成立國際書目控制計畫(Universal Bibliographic Contral)的總部㉜，目的在促使圖書館業務標準化俾便於國際間書目資料之交流與利用，藉以達成國際圖書資訊網的目標。

繼「國際書目控制(Universal Bibliographic Control)」之後，國際圖書館協會聯盟又發起了(UAP)之運動[33]。所謂UAP係Universal Availability of Publications 的縮略語。有人譯做「世界出版品利用計畫」，有人翻成「國際出版品之普及化」；其意義在推廣出版品之使用，促進各國圖書館間資源的共享[34]。

UAP是一個理念，也是一項計畫。就「理念」而言，圖書館的終極關懷在做到無論何時、何地，都能盡最大可能向讀者提供其所需要的出版品。要之，在社會任何一個角落，人類無不企求準確而又及時的訊息，出版品正是這些訊息的主要來源。是以UAP的實踐，係國家經濟、社會、技術、教育發展和個人成長上不可或缺的要素。就「計畫」而言，UAP不但要主動、積極的尋求各種資料來源，更要排除各種可能的障礙，以改善資源利用的層面。從新出版品的誕生到孤本資料的維護，自地區性推廣至國際性，均是UAP 努力的目標。

UAP的存在奠基於此一信念：人類思想和觀察的紀錄極有價值，如果我們普及這些資訊給所有需要它們的人群，就可以幫忙解決人類在經濟、文化、技術上所面臨的難題[35]。UAP的成功與否繫於兩個前提：一是充足的資源，一是便捷的傳輸系統；爲了要達到第一個前提，就必須先做好「合作館藏發展」的工作。惟有每個圖書館有「宇宙的胸襟，世界的眼光」，才能分工合作，確保資源的充分完備，發揮經濟的最大效益。

國際書目控制是圖書館之間各種合作制度與措施的基礎。願意與他國從事文化資訊交流、共享資源的國家所作的努力以及各種標準化之樹立與實施是成敗的關鍵[36]。而國際出版品能否普及化端視圖書館能否確實從事合作採訪，能否收藏完備的資訊，又能否建立一個便捷的傳輸系統。惟有圖書館之間的密切合作，世界資訊網路的理想才能早日實現[37]。

第四節　合作館藏發展的興起

所謂「合作館藏發展(Cooperative Collection Development)」係指兩個或兩個以上的圖書館，經由館藏發展責任上的分配，同意在一定範圍內，儘數購置所可能獲得之資料，以增加資源之分享，避免重複之浪費[38]。當「資源共享」和「館際合作」等觀念引起人們注意的同時，有關館藏重複性(Collection Over-的研究已有四十多年的歷史[39]。最早的研究，首推梅里特(LeRoy C. Merritt)於一九四二年所作的圖書館資源量的比較[40]。阿特曼 (Ellen Altman) 曾經從中學圖書館的館藏重複性研究印證館際互借網之必需性[41]。

一個以 OCLC 磁帶作分析的研究指出，紐約州的大學圖書館網之館藏有百分之八十五的「單一性」[42]，也就是說其大部分藏書均各有特色，彼此間不相重覆。威斯康辛州十一所大學圖書館的比較結果，亦有類似發現，即百分之八十一的館藏有「僅出現一次」的紀錄[43]。這些研究均可說明「合作館藏發展」雖無其名，卻有其實。

自一九七○年代中期以來，資訊膨脹，加上預算緊縮，迫使圖書館由單一發展，走上「館際合作」的道路。誠如沈寶環先生所言，資源共享是一九八〇年代圖書館的重點工作[44]，共享資源已成爲今日圖書館爭取生存的因應之道。職是之故，「合作館藏發展」一時風起雲湧，蔚爲風氣，成爲美國圖書館界最熱門的話題，由一九八五年四月在芝加哥所舉辦的「合作館藏發展研討會」，可見一斑[45]。

造成「合作館藏發展」運動蓬勃的另一個理由是因爲「綱要」(Conspectus) 的提出。溯此以往，雖然圖書館也知道合作採訪、合作館藏發展的重要性；但有合作的意願，卻沒有合作的環境，復以技術問題無法突破，更使得各館採遲疑的態度而裹足不前[46]。「綱要」的發明，提供了各館一個評估館藏的工具；由於有了共同的語言、代號，遂可以溝通、合作，協調館際之間的採訪業務[47]。

「綱要」本是美國研究圖書館組織內部的活動，但由於其所設計的規格可適用於一般圖書館，遂演變成美國、加拿大「館藏發展計畫」的理論架構，甚至歐州地區的英國、蘇格蘭[48]、瑞典、法國、荷蘭等國亦紛紛加入陣容，爲文見證「綱要」之可行性[49]。

第五節　我國在「合作館藏發展」方面所遭遇之困難及因應之道

一、困　難

在許多次的館際合作會議上，曾熱烈討論過聯合編目、成立編目服務中心、分擔專科書、刊蒐集責任，向國外聯合採購書、刊等問題[50]；而「臺閩地區圖書館暨資料單位現況調查報告」一文中亦建議我國公共和高中、高職圖書館，應以合作採訪國內出版品爲主，至於大專與專門圖書館，則以合作採訪國外學術性及研究性出版品爲重[51]。但是，迄今爲止，仍無任何合作館藏發展的具體行動，究其原因，可歸納如下：

㈠缺乏全盤性的統籌規劃

各館普遍缺乏館藏發展政策，再加上有關當局的不重視，法令規章的繁瑣，在在使得「合作館際發展」滯礙難行[52]。

㈡人力缺乏

我國圖書館界本已呈現人力短缺的現象，在館藏發展方面更乏專職人員執行長期責任。沒有歐美各國學科目錄學者制度之設施，使得圖書館對學術研究的發展與需求，缺乏彈性的因應措施。

㈢經費不足

由於人類知識快速的成長，以及出版品的劇增，相形之下，圖書館的購買力越來越薄弱；再加上館際合作費時費力，效果不彰，更使得館員們對「合作館藏發展」缺乏信心，却而止步[53]。

㈣技術問題

聯合目錄等工具書的缺乏[54]，聯合目錄編印的錯誤，再加上圖書館本身業務的缺失，導致館際互借沒有時效性，已使得圖書館間不敢輕談合作發展，再加上文件傳輸系統的無法配合，更使得合作館藏發展成爲空談。

㈤心理障礙

圖書館負責人或有對館藏數量的迷思，以爲館藏的大小決定了圖書館的規模、排行榜的名次，故不願接受合作館藏發展的協定與制約；而圖書館員又向有「追求完美」的心態，總希望能實際購置到每一位讀者所需的圖書㊿，沒有「資料取得的重要性遠大於資料本身的擁有」之概念，故使得合作館藏發展的活動不能往前推展。

二、因應之道

在談如何做好合作館藏發展的工作以前，有幾個觀念必須先釐清：㈠就如同圖書館自動化一般，合作館藏發展的目的在改善圖書館服務的品質，而不在削減購書經費。㈡合作館藏發展的意義在增加資料獲取之途徑，而並非要各館削足適履，放棄地區性館藏特色，亦即「核心館藏」之建立與「研究館藏」的分享必須有所界定[56]。㈢知道館藏的虛實強弱，並不一定表示館藏管理已有了改善。換句話說，「綱要」只是一個工具，「合作館藏發展」的協議與執行才是最終目的。㈣評估館藏時，須顧及「讀者取向」和「館藏取向」的精神。前者注重的是目前讀者群的使用傾向，後者關切的是資源的深度與廣度，強調館藏的價值取決於前瞻性，能滿足未來讀者可能有的需求[57]。

其次，要做好合作館藏發展的工作有幾個前提和原則。幾個前提是：㈠各參與單位對其本身之讀者群有充分的了解，知悉各種資料被使用的情形[58]。㈡館員須有主動、進取的心態，對文化變遷、科技發展、敏於觀察，能隨時掌握各種重要的資訊資源。

㈢圖書館負責人須有「海納百川，有容乃大」的開濶胸襟、體認「合作」一詞乃指人類整體知識的分享、圖書館人力資源的最佳運用，而摒棄「門戶之見」、「本位主義」等自私心理。㈣籌劃「合作館藏發展」工作的同時，須注意到書目資料的完整、新穎以及文件傳輸系統的改善。㈤設法取得單位內的諒解與同情，讓讀者明白「合作館藏發展」的意義在創造更多獲得資料的機會，書本以用得著時爲眞[59]。

幾個原則是：

㈠全盤性的統籌規劃

「合作館藏發展」的工作宜從中央到地方，有全國性、整體性的策劃，期使各館在所分工的範圍內沒有重複，又能有效地提供資源。

㈡長遠性的周詳考慮

合作規劃要有長遠性的考慮，「館藏發展」的內容，必須能適用十年、甚至廿年或更長久的時間，預估未來的需要及潛在讀者的需求，並定期更新政策。

㈢館員與讀者的全面參與[60]

館員必須與各學科專家建立友好的關係，並密切聯繫。由學者取用資料的記錄與觀察，可評鑑館藏的好壞；而館藏質量的提昇亦有待於專家的指導與協助。

㈣須有一正式組織[61]

要做好「合作館藏發展」的工作，須有一正式組織居中協調與策劃，對於參與單位之資格亦必須有所限制，各會員館必須在本身選書政策已非常明確的情況下，才能參與合作。

㈤遵守平等互惠的原則

各參與的圖書館除了具備共享的意願外，亦須擁有可資共享的資源。他們的性質必須相近，而且地理範圍之劃定有經濟效益的考慮。

第六節　結　論

圖書館的定義有很多種，其中一種是「將讀者與資源結合在一起的一種機構」[62]。圖書館的「資源共享」、「館際合作」和「圖書館網」均大同小異，因為圖書館網成立的目的就在於資源的共享，而圖書館合作的理由也是為了資料的互通有無。

學術無國籍，資訊無疆界，在資料的採購上，須有全球性的合作[63]。「所謂館藏發展的合作係指一群深知讀者需求的館員之結合」[64]。他們以讀者為中心，以服務為職志，隨時調整購書的政策與技巧，而非僅是館藏靜態的保管者。要之，「合作」的目的在使資料的取用更為充分、便利，亦在「館藏」即「國藏」觀念的建立。面對「合作館藏發展」的挑戰，須「放眼天下，從小處做起；心懷未來，自眼前著手。」[65]在保存地方色彩的同時，也兼顧全國學術的整體發展。

針對我國目前圖書館發展的情況，擬建議下列事項，供有關當局在「合作館藏發展」規劃時的參考。

一、培養館藏發展的專業人員

學科專家之職位在歐美大學與研究圖書館並非新設，但對我國卻非常陌生[66]。學科目錄學者(Subject Bibliographer)一詞係起源於德國；他們通常具有專門學科的博士學位和圖書館學碩士的訓練，其主要的功能在選書和參考服務。自一九六三年起，美國印第安那大學圖書館開始有計畫地延攬此種人才。至今，歐美各國之大專、公共圖書館均有組織的設置。我國宜設法跟進，及時提昇採訪人員的素質。即便短期之內無法全面急起直追，亦須指定一專門人才，負責協調各種工作，敦促館員充實學科知識、加強外語能力，確實掌握館藏特質。

二、建立各種館藏使用的統計資料

以讀者取向爲主的館藏發展已愈來愈受重視，在館藏管理的研究上，除了要注意理論方法，亦要解決實際問題。由各種統計資料的搜集、分析可幫助我們瞭解館藏被利用的情形，進而得知館藏之適宜性[67]，設法彌補館藏的缺失，滿足讀者的需求。

三、確定領導的單位

在民國七十八年二月全國圖書館會議上亦有成立一專責機構的呼聲。國科會自民國六十三年起，雖有圖書統購之補助，但僅是被動地接受各單位之推薦書單，删除不適宜的刊物，而非主動地規劃全國的館藏發展。

民國七十七年教育部爲補助私立大學之圖書設備，擬有「補助私立大學校院圖書館改進計劃調查表」，其中包括各學院系所及師生人數統計表、圖書館館藏現況、圖書館發展計畫、近幾年圖書館經費情形，以及配合改進計畫所提充實館藏或建立特色之具體計畫（含計畫說明、資料項目、經費預估、預期績效等）。這是一個可喜的現象，更盼日後的學術圖書館發展計畫能發揮預期的功效。

四、重視「合作館藏發展」的研究工作

歐美各國有「館際合作」悠久的歷史，也有「合作館藏發展」成功的例子[68]。近年來，由於圖書館自動化的發展，解決了一些以前在技術上無法突破的瓶頸問題[69]，國人除了學習、研判外，亦須著手國內的研究工作，解決實際的困難；如館際互借的成本研究，如何紓解小館對大館依賴的壓力以及文獻利用率的調查等等。

五、外文書刊之統籌徵集

我國圖書館對外文圖書、期刊之採購大都透過代理商。民國六十四年起，國家科學委員會將輔助各大專院校的圖書購置經費，交由科學技術資料中心向國外辦理統一採購，至今，頗獲好評。其明顯的成效計有：1. 避免不必要的重複訂購。2. 減少期刊缺期，提高到書率。3. 獲得較高之折扣優待。4. 爭取書刊研究運用的時效。5. 提升國內代理商之服務品質[70]。

統一採購是集中人力、物力、財力辦理訂購的手續、記錄與分發。透過集中處理的方式，減少各單位的個別作業量，是另一種型式的館際合作，値此之際，甚盼有關當局能仿做美國，利用外滙存底在海外據點設立圖書採購中心[71]，統籌採購學術性刊物，以開發圖書館資源，提升文化素質。

六、改善目前館際互借的方式

爲了對讀者提供更好的服務，圖書館之間的合作可採多方面的途徑。館際互借是館際合作項目中，最早的一項。我國雖有科技、人文社會的館際合作組織，但是由於主管觀念分歧、經費及人力的缺乏，使得館際互借尙未臻理想。

近年來，電腦科技的日新月異，各種縮影設備的相繼林立、電傳通訊、光碟書影資料之重大突破，均提高了資料檢索的速度，服務的品質[72]；我國圖書館在聯合目錄的編製、圖書館自動化技術的引進之後，或能看到以電腦處理館際互借的申請案件，爭取時效，以複製資料的方式推廣運用，俾降低成本，在此過渡時期，亦盼各館能接受電話，電報之借閱申請，採各種便民措施，便宜行事[73]。

七、加强圖書館贈送、交換的業務

「複本書」的互贈，轉移可以充實圖書館之間彼此的館藏，惜各館因爲法令規章的限制，財產觀念的阻撓再加人力之不足，始終未能物盡其用，殊爲可惜。複本書之淘汰可以突破圖書館空間的問題，而期刊的修殘補缺亦是圖書館一向努力的目標，稍爲花一點心力，以己有易己無，利人利己，何樂而不為？

此外，許多政府出版品，學會所出版的專業性刊物亦當有主動的索贈，有些學術機構礙於「交換」的協定，不能贈送、出售「非賣品」給需要的讀者，必須透過各種可能的管道予以紓解，方能竟全功。

八、館員與讀者的再教育

多年來，我國在「圖書館利用教育」方面尚未具成效。所以採訪人員在「館藏發展」的工作也無法開展，合作館藏發展理想的實現，有賴於各部門的努力——編目的詳實、迅速，參考的主動、積極，流通的友善、寬容以及採訪的協調、規劃，缺一不可。合作館藏發展和重點式、專門化的收集，必須輔以能直接利用他館資料的制度才能獲致預期的效果，這是館員應有的體認。

一所圖書館限制了本身的蒐集範圍，必將影響了讀者使用的不便，因此館員除了確保讀者在使用他館的方便外，亦須培養讀者正確的觀念——合作館藏發展的眞諦在於「獲得更多資料的機會比擁有少數資料的方便更為重要。」[74]。

附　　註

❶ Paul H. Mosher, "A National Scheme for Collaboration in Collection Development: The RLG-NCIP Effort," in *Coordinating Cooperative Collection Development; a National Perspective*, ed. Wilson Luguire (New York: Haworth Pr., 1986), p. 21.

❷ Douglas W. Bryant, "Strengthening the Strong: The Cooperative Future of Research Libraries," *Harvard Library Bulletin* 24 (1976): 5.

❸ 范豪英，「圖書館的合作與發展」，圖書館學講座專輯之七（高雄：國立中山大學，民國76年），頁13。

❹ 顧敏，「館際合作與資料處理」，圖書館學探討（新竹市：楓城，民國65年），頁35-38。

❺ 張鼎鐘，「圖書館的技術服務—資料的徵集」，圖書館學（臺北市：臺灣學生書局，民國63年），頁272。

❻ David C. Weber, "A Century of Cooperative Programs Among Academic Libraries," College and Research *Libraries* 37 (May 1976): 207.

❼ 胡歐蘭，參考資訊服務（臺北市：臺灣學生書局，民國71年），頁282。

❽ 王振鵠，圖書選擇法（臺北市：盛京，民國61年），頁114。

❾ Wallace John Bonk and Rose Mary Magrill, *Building Libradry Collections*, 5th ed. (Metuchen, N.J.: Scarecrow, 1979), p.192.

❿ Philip J. McNiff, "The Farmington Plan and the Foreign Acquisitions Programmes of American Research Libraries ," *in Acquisitions from the Third World*, ed. Lique des bibliotheques eurapeennes de recherche (Salem, N.H.:

Mansell Information, 1975), p.146.

⓫ Edwin E. Williams, *Farmington Plan Handbook* (Cambridge, Mass: Association of Research Libraries, 1961), p.9.

⓬ 陳海泓，「圖書館館際合作之探討」，臺南師專學報（民國 67 年），頁 156-157。

⓭ Hendrik Edelman, "The Death of the Farmington Plan," *Library Journal* 98 (April 15, 1973): 1252.

⓮ Daminick Coppola, "The International Bookseller Looks at Acquisitions," *Library Resources & Technical Services* 11 (Spring 1967): 203-206.

⓯ 同❿，頁 157。

⓰ Jean Key Gates, *Introduction to Librarianship*, 2nd ed. (New York: McGraw-Hill Book Company, 1976), pp.209-210.

⓱ 同❾，頁 193-194。

⓲ William S. Dix, "The Public Law 480 Program and the National Program for Acquisitions and Cataloging of the Library of Congress," in *Acquisitions from the Third World*, ed, Lique des bibliotheques europeennes de recherche (Salem, NH: Mansell Information, 1975), pp.168-169.

⓳ 高禩熹譯，圖書事業導論（臺北市：文史哲出版社，民國 69 年），頁 235。

⓴ 同⓲，頁 169。

㉑ 同❻，頁 206。

㉒ Jeanne Sohn, "Cooperative Collection Development: A Brief Overview," *Collection Management* (Summer 1986):3.

㉓ *A Guide to East Asian Material Available from the Center for Research Libraries* (Chicago: The Center for Research Libraries, 1983), p.18.

㉔ Gordon Williams, "The Center for Research Libraries: Its New Organization and Programs, *Library Journal*

90 (July 1965): 2947-2951.

㉕ 同㉒，頁 4。

㉖ 魏陳同麗，「兩種東亞圖書館自動化系統之比較」教育資料與圖書館學，第廿四卷，第一期（民國 75 年 9 月），頁 84。

㉗ David H. Stam, "Collaborative Collection Development: Progress, Problems, and Potential," *Collection Building* 7 (1986): 4.

㉘ Nancy E. Gwinn and Paul H. Mosher, "Coordinating Collection Development: The RLG Conspectus," *College and Research Libraries* 44 (March 1983): 129.

㉙ 同㉒，頁 6。

㉚ 王振鵠，「美國圖書館之合作採訪制度」，圖書選擇法（臺北市：國立臺灣師範大學圖書館，民國 61 年），頁 125。

㉛ 同❾，頁 200。

㉜ T. C. Clarke, "Knowing your Universals: UAP in Relation to UBC, " *IFLA Journal* 4 (1978): 129-133.

㉝ Herman Liebaers, "Universal Availability of Publications-A Concept and a Programme, "*IFLA Journal* 4 (1978): 117.

㉞ Maurice Line and Stephen Vickers, "Universal Availability of Publications(UAP)," *IFLA Journal* 12 (1986): 325-328.

㉟ D. J. Uquhart, "UAP: What Can We Do About It ?" *IFLA Journal* 4 (1978): 338-344.

㊱ 張鼎鐘，「國際書目控制」，圖書館與資訊（新竹：楓城，民國 68 年），頁 1-15。

㊲ 「國際資訊轉移與合作」（臺北市：行政院國家科學委員會科技資料中心，民國 73 年）。

㊳ Paul H. Mosher and Marcia Pankake, "a Guide to Coordinated and Cooperative Collection Development," *Library Resources & Technical Service* 27 (October/December

1983): 420.

㊴ William Gray Potter, "Studies of Collection Overlap: a Literature Review," *Library Research* 4 (Spring 1982) : 3-21.

㊵ LeRoy C. Merritt, "The Administrative, Fiscal,and Quantitative Aspects of the Regional Union Catalog," in *Union Catalogs in the United States*, ed. Robert B. Downs (Chicago: ALA, 1942), pp.3-128.

㊶ Ellen Altman, "Implications of Title Diversity and Collection Overlap for Interlibrary Loan Among Secondary Schools," *Library Quarterly* 42 (April 1972): 177-94.

㊷ Glyn T. Evans, Roger Gifford, and Donald R. Franz," Collection Development Using OCLC Archival Tapes," (Washington, D.C. : Office of Education, Office of Libraries and Learning Resources, 1977).

㊸ Barbara Moore, Tamara J. Miller and Don L. Tolliver," Title Overlap: a Study of Duplication in the University of Wisconsin System Libraries," *College and Research Libraries* 43 (January 1982): 14-21.

㊹ 沈寶環，「資源共享——圖書館事業的新趨勢」，圖書館學刊，**4**期（民國**74**年），頁**67-80**。

㊺ Gay N. Dannelly, "Coordinating Cooperative Collection Development: A National Perspective," *Library Acquisitions: Practice and Theory* 9 (1985): 307.

㊻ Robert Moran, "Library Cooperation and Change," *College & Research Libraries* 39 (July 1978): 268-274.

㊼ Frederick J. Stielow and Helen R. Tibbo, "Collection Analysis and the Humanities: A Practicum with the RLG Conspectus," *Journal of Education for Library and Information Science* 27 (Winter 1987): 151.

㊽ Ann Matheson, "The Planning and Implementation of Conspectus in Scotland," *Journal of Librarieanship* 19 (July 1987): 141-151.

㊾ Stephen Hanger,"Collection Development in the British Library: the Role of the RLG Conspectus," *Journal of Librarianship* 19 (April 1987): 104.

㊿ 陳炳昭，黃淑娟，「我國近十年來科技圖書館館際間合作關係之回顧與展望」，圖書館事業合作與發展研討會會議紀要（臺北市：國立中央圖書館，民國 70 年），頁 216。

51 雷叔雲，「臺閩地區圖書館暨資料單位現況調查報告」，國立中央圖書館館刊，新 14 卷 2 期（民國 70 年），頁 37。

52 王國強，「圖書館資源共享在採購作業所遭遇的問題」，圖書館學刊（輔大），16 期（民國 76 年），頁 87。

53 Abdelmajid Bouazza, "Resource Sharing Among Libraries in Developing Countries: The Gulf Between Hope and Reality," *International Library Review* 18 (October 1986): 376.

54 彭慰，「我國聯合目錄編製之研究」，國立臺灣大學圖書館學研究所，碩士論文，民國 74 年。

55 In-lan Wang Li, "Collaborative Collection Development, " paper presented at the Library Cooperation & Development Seminar, Taipei, August 17-18, 1986, p.2.

56 Joe A. Hewitt, "Cooperative Collection Development Programs of the Triangle Research Libraries Network," in *Coordinating Cooperative Collection Development; A National Perspective*, ed. Wilson Luquire (New York: Haworth Pr., 1986). p.140.

57 Scott Bennett, "Current Initiatives and Issues in Collection Management," *The Journal of Academic Librarianship* 10 (November 1984): 260.

58 同57，頁 259。

59 Allen Kent & Thomas J. Galvin, *Library Resource Sharing : Proceedings of the 1976 Conference on Resource Sharing in Libraries, Pittsburgh, Pennsylvania* (New York: Marcel Dekker, 1977). p.13.

60 同46。

61 同60。

62 同59，頁 177。

63 Charles Willett, "International Collaboration Among Acquisitions Librarians: Obstacles and Opportunities," *IFLA Journal* 11 (1985): 289.

64 同45，頁 308。

65 David H. Stam, "Think Globally-Act Locally: Collection Development and Resource Sharing," *Collection Building* 5 (Spring 1983): 18-21.

66 傅寶眞，「學術與研究圖書館在研究與教學上所應扮演的新角色——學科專家的探討」，中國圖書館學會會報，第 37 期（民國 74 年），頁 63。

67 同57，頁 259。

68 David Farrell, "The NCIP Option for Coordinated Collection Management," *Library Resources & Technical Services* (Jannary / March 1986): 47-56.

69 Maurice B. Line, "Access to Resources; The International Dimension," *Library Resources & Techincal Services* (January / March 1986): 4-12.

70 沈曾圻、曹美芳，西文圖書期刊採購實務（臺北市：國家科學委員會科學技術資料中心，民國 65 年）。

71 張鼎鍾，「改進圖書館服務應循之途徑」，圖書館與資訊（新竹：楓城，民國 68 年），頁 110。

72 F. W. Lancaster, *Libraries and Librarians in an Age of Electronics* (Arlington, VA: Information Resources Pr., 1982), pp.125 - 126.

⑬ Josph M. Dagnese, "Cooperation Between Academic and Special Libraries, "*Special Libraries* (Oct. 1973): 423-432.

⑭ 同㊾。

第四章　圖書館評鑑

評鑑是管理工作的重要環節，它是一個有系統的，正式的過程,包含一系列的步驟和方法以蒐集和分析各種有關的客觀資料,測量某一機構達成其目標的進展程度❶，提供決策者作爲選擇合理方案的參考依據。因此圖書館評鑑的意義在於運用評鑑的工具,就圖書館成立的宗旨與業務目標，蒐集資料，加以分析、評比，以瞭解圖書館經營的績效❷。

圖書館業務評鑑的目的有三：一是評量讀者的滿意程度，旨在瞭解圖書館的服務效果(effectiveness)；二是考量圖書館內部運作的效率(efficiency)，以瞭解運作的方式能否符合圖書館的目標；三是計算圖書館所付出的人力、物力等代價能否符合服務的效果，以知悉圖書館的運作效益(cost-benefit)是否平衡。

第一節　導　論

討論圖書館評鑑的文獻很多，僅擇其要者分述於下：

一、圖書館標準

圖書館標準是評估圖書館業務的準則，它是由圖書館專業人員所擬訂，作爲他們實踐及維持工作目標的根據，所以圖書館標準可作爲評鑑圖書館業務之比較標準(Yardsticks)。由於圖書館標準是專家們所擬訂的，它對圖書館之組織、人員、經費、圖書資料、館舍等均有一定的規格，故能有客觀的評比。不過，圖書館業務的評鑑應是質量兼顧，而素質又很難評估，是以圖書館標準之選定須考量其權威性、可行性及適宜性❸。

國際圖書館學會聯盟(IFLA)所建議的大學圖書館標準(Standards for University Libraries)包括：1.宗旨(purpose)。2.組織和行政(Organization and Administration)。3.服務(Services)。4.館藏(Collections)。5.人員(Staff)。6.設備(Facilities)。7.預算(Budget and Finance)。8.技術(Technology)。9.維護(Preservation and Conservation)。10.合作(Cooperation)等十項❹。我國圖書館學會大專暨學術圖書館委員會標準修訂小組於民國68年所草擬的「大學及獨立學院圖書館標準」則包括：1.任務。2.組織及人員。3.經費。4.圖書資料。5.建築及設備。6.服務等六項❺。圖書館標準的制訂是爲了評估的目的，「大學圖書館標準」在美國、加拿大等地已實行多年，在我國仍未能立法定案，有強制執行的力量，殊爲可惜。然而民國六十八年的「標準」(參見附錄)，雖然有待改進的地方甚多，卻至少提供了一評估的框架與基準，足資參酌。

雖然各國的標準不一，就大學圖書館而言，最具代表性的六個共同因素爲：(1)藏書或庫存的規模。(2)專業圖書館員佔圖書館全體員工的比例。(3)大學總預算中核撥給圖書館經費的百分比。(4)圖書館的席位。(5)圖書館的服務。(6)圖書館的行政管理。所有大學圖書館的標準都強調圖書館的主要目標在支持學校的教學和研究計畫❻。

二、圖書館調查

調查與圖書館標準同是圖書館評鑑所不可缺少的過程與工具。自一九三〇年至一九七〇年間，圖書館調查一直是美國圖書館評鑑最重要的工具。調查的目的在明瞭狀況，如果調查順利而精確，便能改進圖書館的政策、人事及作業情形，並能增加外界對圖書館的支持與利用❼。

蒐集資料的方式是圖書館調查最重要的關鍵。調查方式的選擇必須考慮所需要的資料、時間、經費及人員之多寡，以及被調查者合作的可能性等。調查的方法包括問卷、面談、歷史分析、敍述分析、特殊事件的記錄及統計等。圖書館調查是一種極為普遍的評鑑方法，其缺點則為抽樣不全，經費不足等情形。有關這部分的討論將於下節舉例說明。

三、業務執行衡量(Performance Measurement)

圖書館之目標在於服務讀者，所以圖書館的評鑑應當探討其服務的效果。圖書館衡量(Library Measurement)或業務執行衡量(Performance Measurement)在數量及計算之運用，其所評量的業務包括下列數項：

㈠讀者利用圖書館之有效時數❽

$$\underset{\text{（有效時數）}}{EH} = \frac{W\text{（抽樣調查期間讀者利用圖書館之總時數）}}{H\text{（抽樣調查期間圖書館開放時數）}}$$

㈡圖書出借(Circulation)

傳統上，圖書館把出借數量當作業務的指標，以出借數量之多寡來代表其績效，可是圖書出借量只能表示館外之利用狀況，眞正的圖書流通應該包括讀者在館內之使用情形。

㈢圖書資料的評量

質量之評估很難有一定的標準，圖書館員的責任固在提高圖書資料之質量，但數量與質量也有相當程度的關係。

㈣設備及器具之有效運用❾

館舍設備爲圖書館業務之重要條件之一，設備齊全，便於利用，方能增進研究興趣，提高效率。館舍建築對圖書館的影響有二：一爲館舍的位置，二爲圖書資料之存放位置。

㈤讀者服務

讀者服務之效果可以直接影響讀者，評估讀者服務應包括直接服務及間接服務，前者指參考工作，亦即幫助讀者尋獲所需之資料，後者指選購新穎的工具書，檢索資料，以達成有效的參考工作❿。

圖書館服務效能的評估有層次的不同，一個全盤性的評估可以看出圖書館內有那些服務項目是有效能的，那些服務項目是無效能的。爲了能有整體性的全貌，圖書館必須發展出全套的評估計畫，暨使各種服務效能在整個圖書館作業及組織的架構內，可以得到適當的詮釋⓫。

四、系統觀念

杜蒙女士和杜蒙先生於一九七九年引進「系統觀念」(Systems concept)以說明圖書館系統是大環境底下的一個「子系統」(subsystem)；而其下則附屬有行政、管理、技術、社會關係等子系統。此外，圖書館是一個成長的有機體，會隨著時間的演進而改變其經營的目標，因此，評估圖書館效能時，必須有一整合性的架構以評量、分析圖書館在因應內外環境的影響下所產生的各種作業與活動⓬。（見表二）

圖書館所追求的各項目標，既然反應了外在環境的變遷，圖書館的「服務效能」亦可詮釋爲圖書館「在面對各種環境的改變時所產生的各種因應的作業與活動的能力」。因此圖書館服務效能之評估亦可視爲對圖書館「作業程序」(process)的考量，而非僅針對圖書館所輸出的成果 (end result) 作判斷⓭。

要之，系統模式強調的觀念有三：

1. 圖書館效能的追求是一個繼續不斷的活動程序。

2. 輸入資源與輸出成效二者將隨時間之演進而改變。

3. 不論在館內或館外，對圖書館成敗的觀感因人而異。

總而言之，影響圖書館效能之四種變數是：圖書館本身、圖書館工作人員、讀者、和圖書館所處之外在環境⓮。故評估圖書館服務效能時，必須注意圖書館目標、作業程序與評估的過程。

表　二：圖書館效能之系統模式

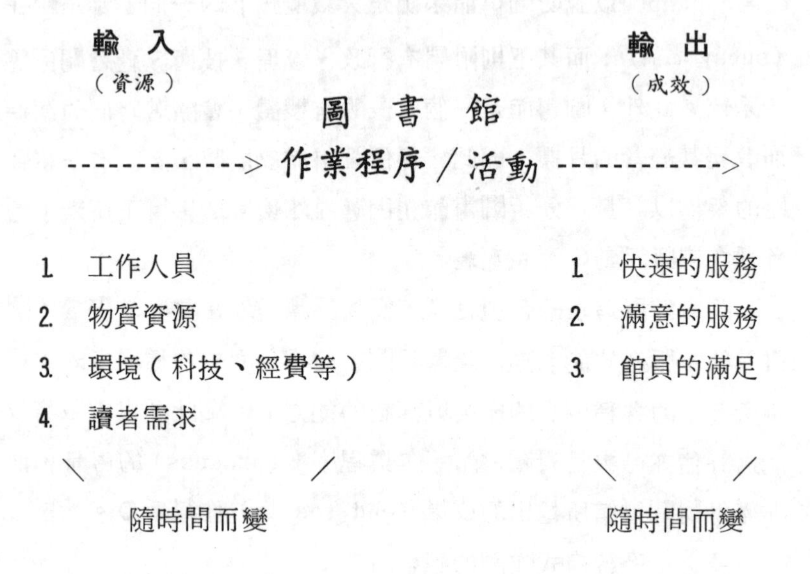

資料來源：Rosemary Ruhig Du Mont, "A Conceptual Basis for Library Effectiveness," *College & Research Libraries* 41 (March 1980): 106.

五、圖書館學之五項法則

蘭開斯特（Lancaster）曾就印度圖書館學大師阮加納桑（S. R. Ranganathan）於一九三一年所發表的「圖書館學之五項法則」（The Five Laws of Library Science）強調圖書館評鑑的新意涵⑮：

㈠圖書館是為利用的 (Books are for use)

館藏資料的良窳與服務成效的好壞須視讀者的需求而定，要能以客觀、實徵的調查，代替主觀、印象式的判斷。易言之，該法則重視的是成本效益 (cost-effectiveness) 的概念，評估的準則是「取得性」(accessibility)，不管在什麼時候，以何種方式獲得。

㈡每一讀者都有其書 (Every Reader His Book)

這是第一法則的延伸，強調的是「可利用性」(availability)的衡量。簡言之，圖書館不僅要選購讀者所需要的書，更須於必要時適時提供之。換句話說，圖書館的一切措施均是爲了讀者的方便，滿足讀者的需求。

㈢每一本書都有其讀者 (Every Book Its Reader)

此法則是第二法則的補充，因爲從圖書的選擇、編目、上架、參考、推廣、宣傳等活動來看，各項工作不僅是爲了圖書館本身，更是爲了讀者安排的。所以一切法規政策及管理方法，都應以讀者爲先，圖書館也應重視「行銷」的理念及「包裝」的手法。圖書的選擇須顧及未來的讀者 (Potential reader)，也因此評鑑的尺度在於圖書館告知(inform)讀者的能力，如「新書通告」(new book list)或其他「新知選粹」(current awareness)等服務項目的提供。

㈣節省讀者的時間 (Save the Time of Reader)

圖書館的服務應以最迅速的方法提供讀者所需要的圖書資料。爲了達到這一目的，必須注意改善目錄方法、排架制度、書標標示、參考服務及建築的配合等項目⑯。圖書館評鑑時必須愼重考慮讀者檢索資料的時間。

㈤圖書館是一個成長的有機體(The Library is A Growing Organization)

圖書館既是一個具有發展性的有機組織，其規模自然會日益擴張，所藏資料也會逐漸增加，爲了配合這一發展,其建築設備,工作方法及管理人員自然也須隨時調整改善。圖書館必須因應大環境的改變，引進新科技，也因此圖書館的評鑑首重圖書館自動化，通訊設備的實施，以獲取更多資源的分享，節省不必要的經費、人力、時間。

第二節　圖書館業務之評鑑方法

一、館藏評鑑

館藏評鑑的目的在於將人力、經費投注於最需要發展的館藏,以確定館藏的品質及其適宜性，並可作爲館藏發展計畫的基礎和指引⑰。通過對藏書的評鑑，可以了解讀者閱讀傾向的變化，以便及時調整補充館藏，使館藏和讀者的需求能同步發展。

館藏評鑑的方法已於第二章述及，茲不贅言。

二、資訊檢索(Information Retrieval)

史密斯(Linda C. Smith)曾將資訊的檢索分爲參考、事實、問題和資料等四方面⑱。有了豐富的館藏，仍須佐以完善的資訊檢索系統，方能發揮圖書館服務的功能。蘭開斯特曾列舉有關資訊服務(Information Services)的評估準則⑲：

1. 費用(Cost)——包括直接費用及間接費用。
2. 反應時間(Response Times)。
3. 質的考慮。
   (1)完整性(Completeness)。
   (2)回現(Recall)。
   (3)精密性(Precision)。
   (4)新穎性(Novelty)。
   (5)正確性(Accuracy)。
4. 經濟效果(Cost-Effectiveness)。
5. 效益性(Cost-Benefit)。

三、文件傳輸(Document Delivery)

文件傳輸的能力(capability)不容忽視，有了充沛的館藏、良好的資訊檢索系統仍不足以將圖書館的功能發揮得淋漓盡致，文件傳輸能力嚴重影響讀者對圖書館的「滿意度」，尤其在分秒必爭的資訊社會裡，時效、時限、時速均扮演重要的角色。巴克蘭(Buckland)指出文件傳輸的「容忍度」(Satisfaction level)繫於下列三因素⑳：

1. 複本數。

2.使用的頻率。

3.使用期。

易言之，爲了顧及文件傳輸的能力，圖書館除了要適量蒐購複本外，亦必須評量讀者借用的期限。

四、圖書館自動化系統

有關圖書館作業自動化的評鑑，固須考慮各館的特性，但一般說來，對於現成的開鑰式系統（Turnkey system），須注意下列數端㉑：

1.易於使用。

2.經銷商支援，維護的能力。

3.成長性擴大的可能性（Upgradability/Expandability）。

4.系統執行的能力（Systems Performance）。

5.系統的軟體（Systems Software）。

6.系統的文件資料。

7.系統的費用。

8.相容性。

9.合約的條件。

第三節　期刊的評量

根據奧斯本(Osborn)的推測：一九五〇年時，約有五萬種西文科技期刊出現；一九七〇年時，達七萬五千種，至今，西文科技期刊可能已超過十萬種㉒了。由於期刊的資料新穎快速，使得期刊成爲圖書館館藏之主角，誠如布洛達斯（Broadus）所言：「如果說十九世紀是書本的世紀；二十世紀就是期刊的世紀㉓。」就美國大學圖書館而言，一九六九年時，期刊與圖書的比例約是一比二；一九七六年時，是一·二三比一㉔；至一九七七年時，美國伊利諾大學（University of Illinois）就已將百分之七十的經費放在期刊上了㉕。

近幾年來，期刊的漲幅驚人，據統計，美國各種期刊在一九七七年平均價格爲美金二四·五九元，一九八五年上漲至美金五九·七〇元，九年平均每年上漲百分之一五·八六，而一九八五年平均價格爲一九七七年的二·四三倍㉖。一般說來，科技期刊每年上漲百分之三十至四十左右，而人文科學方面則爲百分之二十㉗。面對不斷削減之圖書經費與不斷上漲之期刊訂購費用，絕大多數之大學圖書館均產生期刊刪減之問題。布雷克（Blake）指出一九八〇年至一九八三年之間，美國大學圖書館平均每年停訂三五八種期刊㉘。而自一九七六年以來，已經有五十三篇文章探討此問題㉙。

期刊的評量是期刊作業重要的一環，因爲評量的結果不但可作爲選購、淘汰期刊之依據，亦可作爲期刊管理之參考㉚。圖書館學文獻顯示：少數期刊可以滿足大多數讀者之需求㉛。因此，在經費與空間的限制下，圖書館必須審愼評估每一種期刊，刪除無人使用或很少人閱讀之期刊，建立核心館藏，以發揮圖書館最大的經濟效益。

一、評估期刊的要素

決定期刊的刪除與否，有許多評估的要素，一九七六年的研究指出，有四種變數(Variables)可作爲依據㉜，一九七七年時，增加爲六種㉝，至一九七八年就高達十四種㉞，總括說來，可分成三大類來討論㉟：

(一)讀者取向的變數(User - oriented variables)：包括館內使用情形、借閱情況、館際互借資料、教職員出版品的含蓋量、博碩士論文的引用文獻、課程的相關性、本土性的研究動向、專家學者的判斷、收藏的年限以及重複的現象等。

(二)書本取向的變數(Bibliographic variables)：包括引用文獻的次數、外型的大小或裝訂成册後佔書架的空間,訂購價格、資料處理的成本，索引，摘要的取得性，館際互借的可行性，圖書館網的存在性，語文、出版的年代或國別，重要書目的刊載，布萊德佛定律(Bradford Zipf)的應用、被引用率，紙張印刷的品質，縮影資料的替代性以及單獨的索引彙編本等。

(三)非量化的變數(Non-quantifiable variables)：如母體機構的重點領域、出版者的聲譽、專業認可機構的含蓋以及館藏發展政策的相關性。

茲就其重要者分述如下：

(一)與課程之相關度(Relevance)

決定一本期刊是否入藏，支援教學研究的相關性應是最重要的考量。就一般大學圖書館而言，教授之需求是影響期刊館藏最大的因素之一，在選擇過程中佔首要的地位㊱。但教授、專家的評鑑常流於主觀性，且有些學科（如生物學科）的研究主題甚為分散，很難有共識㊲。一個比較客觀的考慮應該包括：⑴碩士班研究所的性質；⑵註册的學生人數；⑶教職員人數的多寡以及其參與的程度；⑷教學的方法以及⑸系所開設的課程科目等。

㈡期刊的使用頻率 (Usage)

期刊使用頻率最能反映讀者之需求與期刊之重要性㊳。從期刊使用情形可了解並評鑑館藏之品質，作為選購與删除期刊之參考依據。蘭開斯特 (Lancaster) 曾強調：「圖書館館藏的品質取決於其被使用的程度㊴。」就研究圖書館而言，或許某些經典之作，可以藏諸名山，即使一百年後才會有人去使用，也值得收藏，但期刊的訂購應有「用多於藏」的觀念。

期刊使用頻率的資料來源有很多種，如出借的狀況、館內使用的調查統計、館際互借資料量的分析等。但溫格及齊爾德瑞 (Wenger and Childress) 曾指出僅憑期刊被使用的情形無法作為删除期刊的依據㊵，因為這牽涉到期刊使用調查研究的期間，以及讀者的合作等問題。

㈢期刊成本 (Cost)

經費不足是造成期刊删除之主要原因，因此期刊成本是評估過程中重要的一環。對於價錢昂貴的期刊如果使用率甚低，或是經由館際合作可以獲得，常被列為删除對象。關於期刊的成本，有兩種計算方式：一是期刊的直接訂費 (Subscription fee)，一是期刊年訂價格除以年平均利用次數。易言之，將每次使用費解釋爲圖書館爲讀者每次利用一種刊物所須付出的平均費用。同一期刊在不同的圖書館有不同的「每次使用費」，對於價格貴的期刊而言，若使用頻率高則每次使用費會相對降低。

㈣博碩士論文引用期刊次數

就館內所收藏之博碩士論文參考文獻所引用之期刊，分析其被引用之次數，以辨別期刊之價值。此種評估方法的優點是易於使用，不需考慮到讀者的配合，但缺點是無法測量期刊在教學、及背景閱讀等方面之使用情形。

㈤索引、摘要之檢索性(Accessibility)

係指期刊索引、摘要的參考工具書上有所登載的及期刊本身的索引彙編而言。多數讀者常經由索引、摘要等工具書獲知某期刊文獻之存在，故期刊是否經索引、摘要所收錄，可以作爲期刊使用潛在性的指標，此方面的資料可參考學科主題的期刊索引，或由綜合性的期刊指南上獲知，如(Ulrich's International Periodical Directory和Joseph Marconis' Indexed Periodicals)等。

㈥他處取得性(Availability of other libraries)

館際合作是圖書館發展的終極目標，透過館際互借的可行性刪除部分昂貴而且罕用的期刊，可以發揮圖書館的經濟效益。不過克拉夫特(Kraft)亦強調評估由他處取得期刊之便利性時須考慮費用與時效等因素[41]。

㈦語　文

雖然視學科的性質不同，對語文的要求會有差異，但一般說來，仍然以英文爲主。懷特(White)的研究指出目前的趨勢傾向刪掉非英文的雜誌❹❷，而飽克曼(Baughman)的調查亦證明了對社會學科而言，95.22％的文獻係以英文撰寫❹❸。

㈧外表形式(Format)

紙張的品質、印刷的好壞以及一些特殊的表徵均可作爲選購期刊的參考，期刊的維護費用高昂，除了訂閱的價格外，尚須加入「隱藏性成本」(hidden costs)的考慮。亦即催缺、處理、裝訂等費用有時可能高到訂購價格的三倍❹❹。

㈨引用文獻的研究(citation study)

一般而言，常被引用之文獻應是同業中公認較有價值之文獻，而一種期刊被引用的頻率愈高，則代表其價值愈大。據大英圖書館出借部門(British Library Lending Division, BLLD)的研究，期刊的引用文獻可以預估44％的出借率❹❺。但是期刊被引用次數亦受到該期刊每期所刊載之篇數影響，所以布魯德(Broude)提出一個修正之公式❹❻：

$$\frac{(\text{在一特定時間內})\text{某一期刊被引用次數}}{(\text{在同樣時間內})\text{該期刊所刊載之文章總數}}$$

以求得「被引用率」(impact factor)。

㈩出版者之聲譽

對於圖書館員而言，以出版者的聲譽作爲選擇資料的依據之一，是長久以來的習慣。同樣的，學術界對於由專業學會所出版的資料，亦有較高的評價[47]，因爲專業的學會更能掌握該學科的最新研究發展趨勢。是故專家學者亦以能在其專業性期刊發表論文爲榮。

㈩標準期刊清單評鑑

以其他著名圖書館之館藏清單、權威性機構所推薦之核心期刊爲依據之標準，或是索引、摘要編製公司所選擇編輯之期刊清單爲主。如「科學引用文獻索引 (Science Citation Index)」可評鑑科學期刊，而「醫學索引(Index Medicus)」可評估生物醫學期刊。

二、選購與刪除期刊的決策模式

評估期刊的好壞，雖然有許多不同的要素可供參考，但是除了在取捨上有困難，在計分上有加權的困擾外，亦必須考慮時間成本的經濟效益。僅就國內外圖書館學文獻上所探討過的，擇要分析比較如下：

㈠布魯德模式 (Jeffrey Broude)[48]

表　三：布魯德模式

要　　素	權　重
課程相關性	30 %
期刊使用率	29 %
訂閱價格	13 %
索引、摘要	12 %
被引用率	6 %
他處取得性	6 %
出版商信譽	4 %

(二)希洛斯與佛萊肖爾(Herouse & Fleishauer) ㊾

表　四：希洛斯與佛萊肖爾模式

要　　素	權　重
課程相關性	35 %
語文	15 %
他處取得性	15 %
訂閱價格	10 %
期刊刊期	10 %
索引、摘要	7.5 %
出借記錄	4 %

㈢米勒和季伏爾(Miller & Guilfoyle)[50]

表 五：米勒和季伏爾模式

要　　　　素	權　　重
索引、摘要	25％
課程相關性	20％
館際互借申請量	15％
標準期刊清單	15％
讀者需求	10％
訂閱價格	10％
其他（外形、出版者信譽、他處取得性）	5％

以上幾種模式的優點是每一次的評分均有客觀的根據。舉例言，館際互借申請量一年八次以上的給十分，五次至八次之間的給五分；教授的需求給四分，館員的認定給四分，學生的推薦給兩分，而對於索引、摘要的出處亦有不同的給分標準。缺點則是給予「索引、摘要檢索性」和「館際互借申請量」兩項太重的加權，因爲根據懷特的研究:在二百九十六個接受調查的圖書館中，只有百分之六·四的圖書館以館際互借申請量的分析調整期刊的訂購清單[51]，而戴飄和巴蘇(De Pew and Basu)的研究指出圖書館學文獻(Library Literature)及圖書館和資訊科學摘要(Library and Information Science Abstracts) 等索引、摘要所收錄的圖書館學期刊不能涵蓋所有圖書館學方面的重要核心期刊

52。

㈣王梅玲的評量模式 53

表　六：王梅玲的評量模式

要　　　　　　　素	權　重
相關性教授評分	30%
期刊使用頻率	30%
博碩士論文引用期刊次數	20%
他處取得性	10%
檢索性	5%
標準期刊清單評鑑	5%

其特色是以「期刊經費」除以「期刊價值」得出「成本效果比率」作爲期刊的排名。缺點是太偏重期刊的訂購價格，對某些研究學者而言，重要的期刊實不可或缺，不能因價格太高而予以刪除，否則，圖書館可以收藏的將儘是一些便宜的期刊。

㈤蔡明月的評量模式

表　七：蔡明月的評量模式

要　　　　　　素	權　重
期刊使用頻率	30 %
研究人員的評鑑	25 %
館際合作的可行性	10 %
索引摘要	10 %
被引用的比率	15 %
標準期刊清單編輯	10 %

和王梅玲一樣，仍是以「期刊經費」除以「期刊價值」得出「成本效益」,以排比期刊名次的高低，差別的只是「加權比重」的調整而已。不過其結論以二份統計報表對照列出，一爲期刊之成本效益表，一爲期刊之總價值表，倒是一有彈性的變通辦法，足資借鏡。

綜合以上幾種模式,可以發現其重點均爲「與課程的相關性」、「期刊使用頻率」與「教授的評分」，其次爲「他處取得性」、「索引摘要檢索性」、「被引用情形」，最後則爲語文、型式、出版社的信譽等其他因素。而共同的缺點則爲過於複雜，且耗時費力。對小圖書館而言，或可供學術研究之參考，但對大型圖書館來說，似不夠實際。

三、逢甲大學圖書館之評量模式

有鑑於上述幾種評量模式之複雜性與不易實施，逢甲大學圖

圖　九：期刊刪除模式

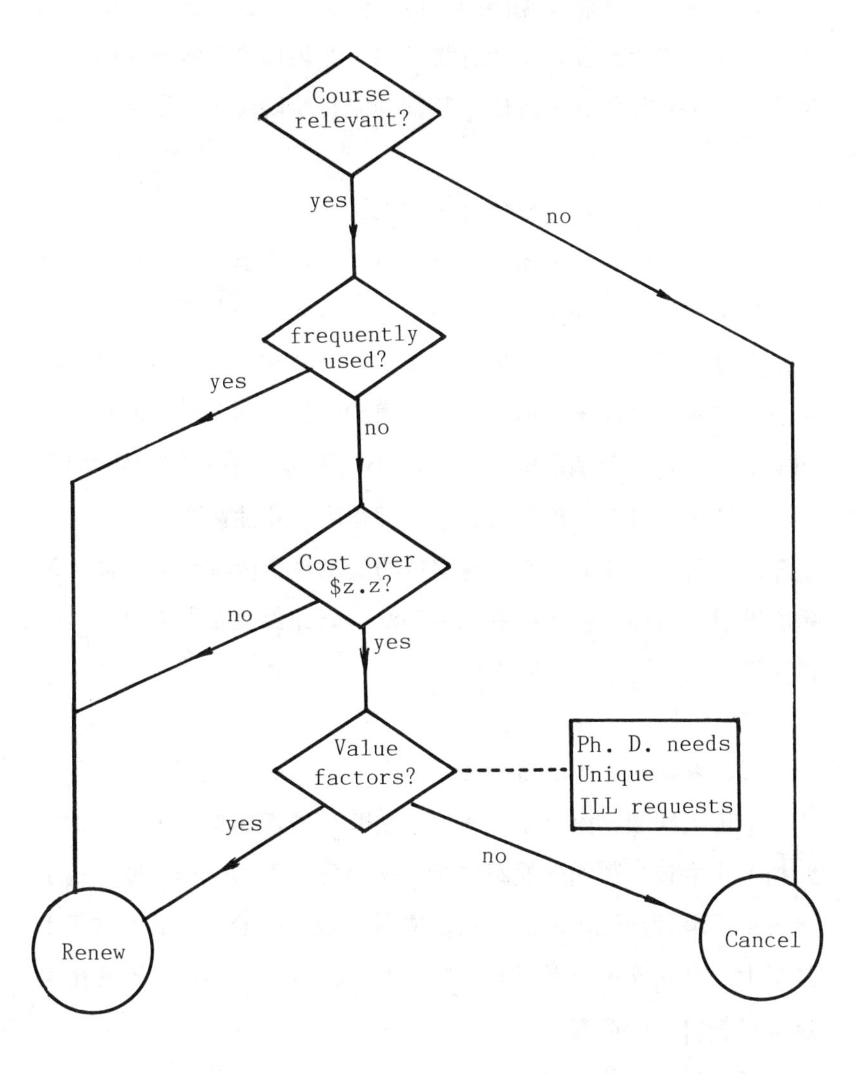
Course relevant?
yes
no
frequently used?
yes
no
Cost over $z.z?
no
yes
Value factors?
Ph. D. needs
Unique
ILL requests
yes
no
Renew
Cancel

書館遂根據尼曼(Neame)的簡易模式修正如下(圖九)[55]：

首先鑑定其與課程相關的程度如何，其次觀察讀者實際使用的情形，再考慮期刊本身的訂購價格，並佐以學校傳統、館際互借可行性等其他因素的評估。茲就其施行步驟說明於后。

㈠請各系自行推薦欲續訂之期刊清單

七十六學年度時，逢甲大學共有二十六個學系，九個研究所，由於圖書館經費的困難，原則上一系以推薦二〇種期刊爲限，並要求其排出優先次序，至民國七十七年三月總共收回續訂期刊清單三一五種，其中，五個系共同推薦的一種，四個系的九種，三個系的三六種，兩個系的一二一種，僅有一個系推薦的一四八種。

二個系所以上推薦的，表示與課程的相關性甚高，爲了有效配合教學研究之需要，不考慮價格的問題，全數訂購，僅從一個系所推薦的期刊當中予以過濾。如此一來，非但可節省人力、時間的浪費，更可避免各系的不滿。

㈡調查期刊被使用的情形

逢甲大學圖書館七十六學年度所陳列的西文期刊，共計六四九種，其中包括贈送交換四二種，國科會訂購的一一八種，爲了進一步瞭解讀者使用西文期刊之情形，圖書館於民國七十六年十月至十二月間做了一個很簡單的調查。統計結果顯示：有使用記錄的期刊計二〇〇種。

將一個系所推介之一四八種期刊與此二〇〇種期刊作一比對，發現有些期刊雖然沒有「被使用」的記錄，但其優先次序在二〇名以內，爲維持教學研究的基本水準，亦予以保留，僅就排名在二〇名之外，且沒有使用過的期刊予以探討，此方面期刊共計一四種，其清單如下：（見表八）

㈢考慮期刊訂費與其他因素

期刊價格的設限可依圖書館的經費而定，亦可衡量學科的性質。一般說來，理工科的期刊較人文社會科學的期刊昂貴。因此在各系期刊經費的分配上，頗難有「齊頭點的平等」，必須斟酌歷史傳統、重點領域、教師特性等因素。以種數和金額來設限或許不失爲折衷辦法。原則上一系以二〇種爲上限，如果其金額總數不超過基本的平均數可以酌量放寬。舉例言，逢甲大學圖書館一九八八年訂購三五五種期刊，共計訂費新台幣一、七五七、五八七元，平均而言，每系訂費約爲五萬元，每種期刊約四、九五〇元（合美金一六〇元左右）。

由表八得知建築系所推介之期刊雖已超過二〇種，但總金額尙不超過五萬元，似可照單全收。再查水利系所推薦之第二一種期刊雖僅三五元，但總金額卻高達十萬元，必要時或許可以割愛。化研所所推薦之第三二種期刊高達二四五元美金，已超過期刊之平均價格，而其總訂購金額亦達一五五、七四一元，似宜考慮經由館際互借獲得該期刊。統計系所推薦之第二四種期刊，訂價三九九美元，其全系訂費爲四四、三七三元，斟酌時須一併衡量師生使用期刊之情形及館際互借之時效性，因爲在讀者使用記錄之調查上，統計系高居第一。至於紡研所推薦之第二八種期刊，計一〇五元美金，查其系圖書費雖高達六二、九五五元，但須思及

表　八：僅一個系所推薦，但無使用記錄的期刊

Title	Price	Department
1. AIT: Architektur,Innenarhiteckture, Technischen Ausbau	103.04	A R　33
2. Architectural Digest	41.96	A R　32
3. Art et D'Ecoration	38.14	A R　30
4. ILR: International Lighting Review	30.34	A R　26
5. Inland Archited	28.00	A R　31
6. International Journal of Accounting: Education & Research	25.00	A G　27
7. Irrigation Journal	35.00	H E　21
8. Journal of Chemical Technology & Biotechnology	245.01	G C　32
9. LD+A: Lighting Design + Application	41.50	A R　37
10. Landscape Design	31.07	A R　24
11. Process Engineering	130.00	G C　27
12. Process Industries Canada	62.48	G C　28
13. Stochastic Processes and Their Applications	399.00	S T　24
14. SPE: Society of Plastics Engineers, Papers	105.00	G T　28

AG：會計，AR：建築，HE：水利，GC：化研所，

ST：統計，GT：紡研所

其有博士班，亦是逢甲大學的特色之一，故應予以保留。

要之，這個模式雖然簡易可行,但是以課程相關性爲主體時,必須綜合考慮系裡教授以及學生讀者的需求,否則易生遺珠之憾,並造成讀者對圖書館的不滿。

四、期刊使用率之調查研究

㈠期刊使用研究的方法

由前述的評估要素及模式，可知期刊被使用的情形在刪除期刊時是一個關鍵性的要素。有關「期刊使用」的研究有很多種方法，茲就其特性和缺點分述如下：

1. 出納記錄 (circulation studies)

根據出納記錄、複印記錄，可以了解那些期刊是讀者最常使用的。此法雖簡單，但代表性有限。

2. 問卷法

先將期刊按類編製成簡單目錄表，分送讀者專家，請其就期刊使用的頻率或價值表示主觀的意見。此法或流於主觀，或不易得到合作。

3. 觀察法

鑑定期刊使用最簡單的方法，是從期刊外表完整的情形或書架的灰塵㊻，判斷那些期刊不曾被使用，或由破損較重的情形知曉那些期刊最受讀者喜愛。

4. 調查單法 (Survey)

此又有二種細分：一是針對現期期刊，俟新期刊收到後，在封面上加貼調查單，請讀者塡寫閱讀記錄，以統計期刊被使用的次數；二是就過期期刊而言，請讀者閱畢後，勿歸架，逕自置放閱覽桌上，由館員作成記錄後再行歸架㊼。調查法的缺點是太浪費人力，而且調查的時期不一定有代表性。

5.引用文獻分析法（Citation Analysis）

針對出版品、博碩士論文和其他教授專案計畫所引用的參考文獻，將所分析的作品逐篇統計期刊被引用的情形，或就某些主題的文獻檢索與書目作引用文獻分析，如 Science Citation 上面的資料可作爲某專門主題的「核心館藏」。引用文獻分析法的缺點有二：一是許多常被使用的期刊只是用作瀏覽以了解新資訊，不見得會被引用；二是由於各個著者列擧引用文獻的習性不同，會影響其正確性。

6.認知統計（Cognitive Statistics）

係根據布萊德佛定律（Bradford's Law）和效用報酬遞減觀念，以每種期刊被參考引用情形和每種期刊使用成本來評分㊽。此僅能提供量化評鑑，沒有質的考慮。

7.館際互借申請調查法

由館際互借申請資料之統計、分析，可以得知那些期刊讀者需用，而圖書館尙未收藏。

綜合以上的討論可以得知期刊使用調查研究的缺失有下列幾種情形：

(1)很難劃分出一個理想的調查期間：時間太長，耗費人力、金錢太多；時間太短，又沒有代表性，且就大學圖書館言，課程常因某教授的休假而調整，更難有全面性的了解與掌握。

⑵有些期刊之所以有高使用率，是因爲其方便性而非其重要性。舉例言，刊期較頻繁、館藏較久的期刊，使用率一定相對提高，而一個新興的、重要的學術期刊或許不會立即被注意到。

⑶館內的調查較沒有準確性，有些讀者會無視於標示牌的存在而習慣性地歸架，有些讀者移動書架的期刊，常因爲誤導或瀏覽的性質，並非眞正使用該期刊。

總而言之，「期刊使用」的研究雖然重要，但進行時，常有許多難以控制的外在因素，而且許多教授根本懷疑此種調查統計的意義與正確性，他們甚至認爲有些期刊較艱深，不易爲一般讀者接受，而有些專業性或新出的期刊未被索引、摘要工具書列入，降低其使用性[59]。是以分析時，須非常謹愼，不可以偏概全。

㈡逢甲大學圖書館期刊使用調查單之分析

逢甲大學圖書館爲了考慮删除部分西文期刊，特於民國七十六年十月至十二月間做了一次「期刊使用」的研究，調查的結果，發現許多令人深思的問題。茲分項說明如下：

1.學理上的印證

許多圖書館學的文獻曾證明布萊德佛定律的普遍性——少數核心期刊可以滿足大多數讀者的需求[60]，而杜斯威爾(Trueswell)的「二十／八十原則」——百分之二十的大學圖書館館藏佔了百分之八十的出借總數[61]，不僅適用於圖書，亦適用於期刊[62]。逢甲大學圖書館這次的調查，發現六〇七種訂購的西文期刊僅有二〇〇種有使用記錄，亦即間接說明了百分之三十的西文期刊（經費）可以滿足全部讀者的需求。

如果就讀者群的性質區分：教授們自己推薦的西文期刊僅有百分之十一的使用率。就翻閱過的種數言，大學部比研究生多，研究生比教師多。就使用人次的分佈言，教師使用人口爲總人數的百分之十五，學生使用人口則約爲百分之四。必須注意的一點是：基於某些讀者會重複使用的原因，實際使用人數的百分比應當更低。

2. 讀者甚少利用圖書館，但對圖書館相當不滿

長久以來，國人對圖書館的漠視與不了解，是一個普遍存在的事實。雖然我們不明白他們是因爲對圖書館的服務不滿意，所以不去圖書館，或是因爲他們很少去圖書館，所以不知道圖書館有許多他們可以享用的服務，但是讀者對圖書館的觀念和實際使用行爲之間的確存在一個很大的鴻溝，差距之大，無法想像。

民國七十三年三月間，逢甲大學圖書館曾做了一次學生利用圖書館狀況的調查，結果發現：全校認爲專業期刊種類不全者佔了七五・八％[63]，而各系中認爲圖書館專業期刊種類不敷需要的百分比超過百分之八十的計有都市計劃系、水利系等[64]。此次的調查研究發現使用西文專業期刊的人口實不到百分之四，而水利系、都市計劃系竟沒有任何使用的記錄。

3. 館員在選購期刊時所扮演的角色

(1)館員之間的不一致

由於館員與讀者的接觸頻繁，故可約略掌握某些常被使用的期刊。米勒和季伏爾的模式特別備有館員評分的一項[65]。要之，館員在選購與刪除期刊決策上的參與有許多好處，一方面可以彌補缺漏，特別是對那些不合作或沉默的讀者群而言，一方面可以

因爲深入瞭解讀者的習性而改善服務的品質。

逢甲大學圖書館先後有兩名館員從事西文期刊採購、登錄的工作，所以在調查的同時，亦分別請她們憑工作經驗選出「最常被讀者翻閱的雜誌」。結果甲館員選出一四七種，乙館員選出八八種，奇怪的是，她們所共同認定的僅有四二種。姑不論誰是誰非，他們的共識越少，表示遺漏越多；不是不夠周詳，就是不夠客觀。

⑵館員與讀者之間的差距

布魯德的研究指出，教員與館員在淘汰期刊的觀點上有相當大的歧異[66]。爲了比較逢甲大學的情況，將讀者所使用過的期刊清單和館員的相對照，結果發現，讀者選出的計一五五種（按實際付款的發票種數），甲館員和讀者重疊的有五八種，乙館員和讀者雷同的有五六種。換言之，館員的預測僅有百分之三七的準確性。因此可知，他們的觀察不可以取代讀者的判斷，只能收相輔相成之效。

深入分析館員對期刊「印象深刻」的認定可能來自下列幾種情形：⑴常被讀者詢問、借閱的。⑵送裝期刊時，面目全非、書皮脫落者。⑶常常脫期，要屢屢催缺的。⑷刊期頻繁，常要登錄裝訂者。⑸印刷精美，型式特別吸引人的等。有鑑於期刊文獻的重要性與日俱增，館員學識的充實與再教育實刻不容緩，除了日常工作的業務外，亦須培養專業的判斷力，以提高職業的水平。

4.專家的判斷與實際的需求仍有差距

將館員和讀者使用過的期刊清單彙總起來，共得二五九種期刊，將之與系裡推薦的三一五種期刊相核對時，發現有二一種期刊是讀者和館員認爲重要的，但系所沒有推薦，甚至建議刪掉的。是前面一個系所所推薦的十四種期刊重要抑是此二一種期刊重要？端視館方的決策。以逢甲大學爲例，仔細分析此二一種期刊（見表九），會有如下的考量：

⑴應數系之所以自願刪除一些重要性期刊，係因全系教師極思訂購「數學評論」(Mathematical Reviews)，他們寧可放棄所有期刊之訂購，以籌足新台幣十萬元來訂購此雜誌。就圖書館支援教學研究的立場而言，逢甲大學新成立應用數學研究所，圖書館除了應向校方爭取新期刊的訂購外，亦須維護其他讀者的權益，不能因爲某教授或系主任草率的一個決定就刪掉所有期刊。

⑵在刪除期刊的決策上，「語文」亦是一重要因素。基於經濟效益的觀點，對於少數人懂得的外文期刊，必須忍痛割愛，如果那些教授已經離開學校，更要「快刀斬亂麻」。

⑶有些期刊雖然系裡爲了節省經費，刪掉較不重要的期刊，但圖書館站在通識教育的立場，可以吸收經費，如表九中的Audio, Data Management, Popular Science 等。

⑷Retail Business價錢雖然很高，但合作經濟系、國際貿易系所訂購之種數及全系購書經費均並未達足額，爲了平衡圖書館的館藏，或許可以斟酌，更何況查對「科學期刊聯合目錄」，逢甲大學是唯一的館藏單位，自一九七三年一直收藏至今，實在有必要維持此館藏特色。

⑸ Food & Chemical Toxicology, Cryogenics兩種期刊，則較難判斷，一方面讀者需求甚殷，由館際合作申請單的屢屢出現可見一斑，但是另一方面期刊本身訂費昂貴，且環科系所訂購

表　九：系所推薦和師生需求的比較

Title	Dept.	ILL	Libn	Patron	Price
1. American Journal of Mathematics	AM		x		142.00
2. Audio	EE		x	x	26.00
3. Chemische Berichte	GC	x		x	570.67
4. Cryogenics	ES	x	x		372.83
5. Data Management	BA		x	x	28.00
6. Distribution	BA		x		70.00
7. Environment	LA		x	x	50.00
8. Environmental Conservation	LA			x	146.67
9. Food & Chemical Toxicology	CH	x	x		716.22
10. In Tech: Instrunmentation Technology	AU		x		80.00
11. Journal of Agricultural and Food Chemisty	GC	x		x	149.00
12. Journal of American Oil Chemist Society	GC		x		85.00
13. Jrl of Chemical Inf. & Computer Sci.	CH		x		100.00
14. Popular Mechanics	AU	x	x	x	29.97
15. Popular Science	AU			x	18.94
16. Quarterly of Applied Mathematics	AM			x	58.00
17. Real Estate Today	BA		x	x	26.00
18. Retail Business	IT		x		432.42
19. SAM Advanced Management Journal	IT		x		34.00
20. SIAM Journal on Numerical Analysis	AM			x	185.00
21. Visual Merchandising and Store Design	IT		x		36.00

AM：應數系，EE：電子系，GC：化研所，ES：環科系，BA：企管
LA：土管系，CH：化工系，AU：自控系，IT：國貿系。

的期刊已超出一般的預算，固有待全校通盤性政策的決定以及館員的溝通。

西文期刊的重要，毋庸贅言，期刊處理的困難，罄竹難書，但「蜀路難，不走更難」,以其重要，故不可掉以輕心,以其複雜,故必須謹慎。綜合以上的討論，可以歸納出下列幾點建言：

1. 期刊的評量不可或缺。

2. 評量的模式須簡易可行。

3. 館員在期刊評量中的角色扮演不容忽視。

4. 圖書館學文獻的研讀有助於實務工作的創新與開發。

5. 館際合作服務申請件的深入分析可供全國期刊資料館藏發展規劃時參考。

第四節　結　論

人類是「選擇的動物」，生活是一連串的「抉擇」與「判斷」。人們每天都處於事物的選擇與判斷之中。有一些判斷行爲係基於直覺的本能，有些決策則必須根據所收集的資料審慎評估。做爲一個現代人，必須懂得收集資訊，掌握論據，邏輯思考，實踐檢驗日常面對的生活事物。

圖書館的評鑑須注意「效果(effectiveness)」和「效率(efficiency)」。前者指的是某一機關實踐其目標的能力，探討的是機構「應」做些什麼；後者則是指一機構以花費最少的時間與經費完成一項工作的能力，關切的是「做」得有多好[67]。換句話說，圖書館業務的「效果」決定在圖書館之目標及讀者受惠之大小，而「效率」是指那些爲達成目標的方法[68]。

「效果」是圖書館經營成功的表徵，而「效率」是達成效果的有效方法，兩者互相關聯，如果經營缺乏效果，再高的效率也是徒勞無功[69]；而一個效率不高的圖書館，也難完成有效的目標。所以，兩者互相配合，才能使圖書館功能發揮至最大極限，進而圓滿達成圖書館服務的終極目的[70]。

圖書館評鑑應包含兩方面的含義：一則是如何最充分發揮現有資源，取得最好的服務效果。一則是在一定時間內，爲獲致可能的最佳效果，圖書館應當投注多少人力、物力方最符合經濟效益。圖書館的工作人員應當銘記於心的是：圖書館經濟效益的研究範圍就存在於圖書館和讀者之間，存在於圖書館作業過程中的每一個環節。

附　　註

❶ F. W. Lancaster, *The Measurement and Evaluation of Library Services* (Washington, D.C.: Information Resources Press, 1977), p.vii.

❷ 建立臺北市立圖書館自我評鑑制度之研究（臺北市：臺北市立圖書館，民國76年），頁5。

❸ 同❶，頁290。

❹ Beverly Lynch, "Standards for University Libraries," *IFLA Journal* 13(1987): 120-125.

❺ 中華民國圖書館年鑑（臺北市：國立中央圖書館，民國70年），頁439-442。

❻ Beverly Lynch, "University Library Standards," *Library Trends* 31 (Summer 1982): 33-47.

❼ 黃文宏，「圖書館業務之評鑑」圖書館學與資訊科學，四卷二期（民國67年10月），頁155。

❽ Ernest R. De Prospo, Ellen Altman and Kenneth E. Beasley, *Performance Measures For Public Libraries* (Chicago: ALA, 1973), p.38.

❾ I. W. Harris, "The Influence Of Accessibility on Acedemic Library Use," Ph. D. Dissertation, Rutgers University, 1966.

❿ 同❼，頁159。

⓫ Rosemary Ruhig Du Mont, "A Conceptual Basis for Library Effectiveness," *College & Research Libraries* 41 (March 1980): 104-105.

⓬ Rosemary Ruhig Du Mont and Paul F. Du Mont, "Measuring Library Effectiveness: A Review and an Assessment," in Michael Harris, ed., *Advances in Librarieanship*, vol.9

(New York: Academic Pr., 1979), pp.103-141.

⓭ 盧秀菊，「圖書館服務效能之評估」，書府，第八期（民國76年），頁65。

⓮ 同⓫，頁107-108。

⓯ F. W. Lancaster, *If You Want to Evaluate Your Library...* (Champaign, Ill.: University of Illinois, Graduate School of Library & Information Science, 1988).

⓰ 王振鵠，圖書館學論叢(臺北市：臺灣學生書局，民國73年)，頁43。

⓱ Paul H. Mosher, "Collection Evaluation in Research Libraries: The Search for Quality, Consistency, and System in Collection Development," *Library Resources & Technical Services* 23 (Winter 1979): 17.

⓲ Linda C. Smith, "Artificial Intelligence in Information Retrieval System," Information Processing & Management 12 (1970): 190.

⓳ 同❶，頁141。

⓴ M. K. Buckland, Book Availability and the Library User (New York: Pergamon Pr., 1975).

㉑ T. K. Lee, "Choosing An On-Line Library System," Seminar on Authority Control and Library Automations, Taipei, June 5, 1987.

㉒ Charles B. Osburn, "The Place of the Journal in the Scholarly Communications System," *LRTS* 28 (1984): 315-324.

㉓ Robert N. Broadus, *Selecting Materials for Libraries*, 2nd ed. (New York: Wilson, 1973), p.101.

㉔ Bernard M. Fry and Herbert S. White, "Impact of Economic Pressure on American Libraries and Their Decisions Concerning Scholarly and Research Journal Acquisition and Retention," *Library Acquisitions* 3 (1979): 171.

㉕ Peter Gellatly, "Debits and a Few Credits: Can Serials Prices be Controlled? " *Illinois Libraries* 60 (February 1978): 99.

㉖ Judith G. Horn and Rebecca T. Lenzini, " Price Indexes for 1985: U. S. Periodicals, " *Library Journal* (August 1985): 57.

㉗ Joan N. Agumanu, "Serials in Third World Academic and Research Libraries, " *The Serials Librarian* 11 (September 1986): 55.

㉘ Monica Blake, "Journal Cancellations in University Libraries, " *The Serials Librarian* 10 (Summer 1986):75.

㉙ Judith A. Segal, "Journal Deselection: A Literature Review and an Application," *Sci-Tech Libraries* (1986): 26.

㉚ 盧非易，「期刊評量模式之建立及其評量結果之分析」，書府，第六期（民國74年），頁103。

㉛ 王梅玲，國立臺灣大學工學院聯合圖書室期刊使用研究（臺北：著者印行，民國74年），頁35-120。

㉜ Jacqueline A. Maxin, "Weeding Journals with Informal Use Statistics," *De-Acquisitions Librarian* (Summer 1976): 9-11.

㉝ Charles B. Wenger and Judith Childress,"Journal Evaluation in a Large Research Library," *Journal of the American Society for Information Science* 28 (Sept. 1977): 293-299.

㉞ Donald H. Kraft and Richard A. Polacsek, "A Journal Worth Measure for a Journal Selection Decision Model, " *Collection Management* 2 (Summer 1978): 129-133.

㉟ 同㉙，頁30。

㊱ S. K. Paul and C. A. Nemeyer, "Book Marketing and Selection: Selected Findings from the Current AAP/ALA

Study, " *Publishers Weekly* 207 (June 1975): 42-45.

㊲ 同㉘，頁79。

㊳ Maurice B. Line, "Rank Lists Based on Citations and Library Uses as Indicators of Journal Usage in Individual Libraries," *Collection Management* 2 (Winter 1978) : 313.

㊴ Frederick Wilfred Lancaster, *The Measurement and Evaluation of Library Services* (Washington, D.C.: Information Resources Pr., 1977), p.178.

㊵ 同㉝，頁294。

㊶ Donald H, Kraft et al., "Journal Selection Decisions: A Biomedical Operation's Research Model I: The Framework," *Bulletin of the Medical Library Association* 64 (1976): 255 - 264.

㊷ Herbert S. White, "Publishers, Libraries, and Costs of Journal Subscription in Times of Funding Retrenchment, " *Library Quarterly* 46 (Oct. 1976): 371.

㊸ James C. Baughman, "A Structural Analysis of the Literature of the Sociology," *Library Quarterly* 44 (Oct. 1974): 305.

㊹ Andrew D. Osborn, *Serial Publications: Their Place and Treatment in Libraries*, 2nd. ed. (Chicago: ALA, 1973), p.70.

㊺ D. Russon and P. J. Taylor, "Sources of References for Interlibrary Loan Request," *Interlending and Document Supply* 11 (1983): 58-60.

㊻ Jeffrey Broude, "Journal Deselection in an Academic Environment: A Comparison of Faculty and Library Choices, " *The Serials Librarian* 3 (Winter 1978): 147-166.

㊼ 蔣篤蒂譯，「大學圖書館期刊淘汰模式——教員與館員選擇之比較」，

書府，第五期（民國 73 年），頁 91。

㊽ 同㊻。

㊾ Marlene Heroux & Carol Fleishauer, "Cancellation Decisions: Evaluating Standing Orders," *Library Resources & Technical Services* 22 (Fall 1978): 368-379.

㊿ Ruth H. Miller and Marvin C. Guilfoyle, "Computer Assisted Periodicals Selection: Structuring the Subjective," *The Serials Librarian* 10 (Spring 1986):9-22.

(51) Herbert S. White, "Strategies and Alternatives in Dealing with the Serials Management Budget," in *Serials Collection Development: Choices and Strategies*, ed, Sul H. Lee (Ann Arbor, MI: Pierian Pr.,1981), p.35.

(52) John N. Depew and Santi Basu, "The Application of Bradford's Law in Selecting Periodicals on Conservation and Preservation of Library Materials," *Collection Management* 8 (Spring 1986): 55-64.

(53) 王梅玲，「期刊選購與刪除決策等模式之建立與應用」，教育資料與圖書館學，第廿三卷，第三期（民國 75 年），頁 301-323。

(54) 蔡明月，「化學工業研究所圖書館期刊訂購與刪除研究」，圖書館學與資訊科學，十三卷二期（民國 76 年 10 月），頁 184-191。

(55) Laura Neame, "Periodicals Cancellation: Making a Virtue Out of Necessity," *The Serials Librarian* 10 (Spring 1986): 33-42.

(56) 王梅玲，「『圖書館期刊使用研究』之介紹」，書府，第五期（民國 73 年），頁 72。

(57) 同(55)，頁 34。

(58) John K. C. Wang, "Selection of Periodicals: A Cognitive Statistical Approach," *Journal of Library & Information Science* 5 (April 1979): 17-24.

(59) 同(55)，頁 35。

(60) S. C. Bradford, *Documentation* (London: Crosby Lockwood,

1948), p.116.

61 Richard W. Trueswell, "Some Behavioural Patterns of Library Users, The 80/20 Rule," *Wilson Library Bulletin* 14 (January 1968): 458.

62 Carol A. Johnson and Richard W. Trueswell, "The Weighted Criteria: An Approach to Journal Selection," *College and Research Libraries* 3 (July 1978): 287 - 292.

63 林麗雲，「逢甲大學學生利用圖書館狀況調查報告」，逢甲學報，第十八期　（民國74年），頁166。

64 同63。

65 同50。

66 同46。

67 Charles R. McClure, "The Planning Process: Strategies for Action," *College & Research Libraries* 39 (November 1978): 456.

68 同7，頁153。

69 張淳淳，「圖書館經營效能與效率」，圖書館學刊，第十一期（民國71年），頁34。

70 同13，頁61。

第五章　館際合作

第一節　館際合作發展的歷史

二次世界大戰以後，由於出版品的急劇膨脹，物價指數的高漲，圖書經費的普遍不足，以及讀者需求的迫切和專精，研究方法的改進，即使藏書最豐富的圖書館也不可能充分地滿足讀者的需要❶，於是「館際合作」應運而生，各圖書館紛紛加入「資源共享」的陣營。

據統計，一九三一至一九六〇年間，美國共有十個圖書館合作團體，一九六一至一九七〇年間，由於圖書館自動化的興起，已有一一二個圖書館加入資訊網絡，至今，共有三三〇個活躍的圖書館資訊網，其中有二六五個從事於資源共享的活動❷。電腦的運用，使得館際合作更切實可行。

所謂「館際合作」，係指二個或多個圖書館間爲了提高圖書館工作的效率、促進資源的運用、提供讀者更好的服務而共同進行的各種活動❸。館際合作的目的在建立圖書館網，惟有圖書館網的健全、成功，才能確保各館有效地共享資源。

「館際合作」包括的活動可以是館藏空間的分享，也可以是合作編目之參與；乃至合作採訪、館藏維護、館際互借等都是廣義的「館際合作」應該涵蓋的層面❹。爲了對讀者提供更好的服務，圖書館之間的合作可採多方面的途徑，無論在本國或國際間，都可以有採訪、編目及貯存資料等項目的合作。其中，最基本的一項是便利讀者使用各種資料。館際互借是館際合作項目中，最早也最重要的一項❺。

一、館際互借

從艾力桑德拉(Alexandria)和貝格姆(Pergamum)圖書館互借的史料來看，遠在西元兩百年前，就有館際互借的事實❻。一六三四年亦有巴黎、羅馬等地圖書館間資料互通的記載❼。而一八七六年美國圖書館協會的成立，更落實了館際合作的觀念❽。普林斯頓大學圖書館館長理查遜(Ernest C. Richardson)首先於一八九九年春天，提出「圖書館的圖書館(a Lending Library for Libraries)」之構想❾。一九〇七年，美國國會圖書館的通過館際互借辦法，和一九一六年美國圖書館協會「館際互借法案」(Interlibrary Loan Code)之頒布，終使得館際互借的政策與程序，有了明確的規定❿。

二、合作編目

在合作編目方面，美國「全國聯合目錄」(National Union Catalog)於一九〇〇年建立，國會圖書館自一九〇一年起，出售其卡片目錄，以加強對全國圖書館之服務；而哈佛大學圖書館、芝加哥大學圖書館亦分別於一九一一年、一九一三年紛紛加入此行列，以補充國會圖書館之不足。接著，更有密西根大學（一九二四年）、伊利諾大學（一九二六年）之跟進⓫，遂有一九三二年美國國會圖書館合作編目部門(Cooperative Cataloging Division)之成立⓬。一九五〇年，國會圖書館以書本式的「全國聯合目錄」支援各圖書館，加速了館際間資料的交換，而其對書目資料的有效控制，亦爲美國圖書館網之發展奠定了良好的基礎⓭。

三、合作採訪

有關合作採訪發展的源由已於前章述及。

第二節　我國的館際合作

一、合作編目

館際合作的先決條件，在於各類聯合目錄的編製。有了目錄，「可以將某一地區各圖書館的館藏構成一可用的整體，或將某地區的某種特殊資料，加以組織，使讀者獲知該一地區各館的藏書內容、特性及其存儲地點，進而加速資料的交流作用，發揮圖書館的服務效能⓮。」在各種有關館際互借的效益研究中，聯合目錄乃是決定資料獲得率高低的重要因素之一⓯。

(一)聯合目錄的編製

根據彭慰的調查報告，我國自民國三十八年政府遷台至今，除編有五十五種的圖書聯合目錄，及四十三種的期刊聯合目錄外，另編有三種博碩士論文聯合目錄及三種視聽資料聯合目錄⓰。而民國六十四年是聯合目錄出現的極盛期，其後繼續蓬勃發展，自該年以來，共有六十五種聯合目錄問世，約佔民國以來的總產量的一半⑰。

其中影響較深遠的有下列幾種：

1. 中華民國圖書聯合目錄

爲便於館際互借與採訪的協調，國立中央圖書館特從民國六十六年起開始編印書本式聯合目錄，至民國七十四年間，已陸續出版三套。此目錄可說是國內第一本專爲館際互借而編製的目錄。

2. 全國西文科技圖書聯合目錄

由行政院國家科學委員會科學資料中心所編纂，民國六十二年印行，包括七十二個較具規模的學術及研究機構收藏的理、工、農、醫學等學科的西文圖書。迄今爲止，仍是國內圖書方面最大的一項聯合目錄。

3. 科學期刊聯合目錄

國科會科學技術資料中心自民國五十九年起，不斷的編印西文科技方面期刊之聯合目錄。目前出版之最新版爲第十五版（民國七十六年），收錄一七、七二六種西文科技期刊，共有一九三個單位參加。

4. 台灣公藏人文及社會科學西文期刊聯合目錄

國立中央圖書館編輯，民國七十六年三月印行，計收錄二十四所圖書館九、〇三三種西文期刊。

5. 中華民國中文期刊聯合目錄

國立中央圖書館自民國六十九年起編印，民國七十一年第二版計收入一五五所圖書館的八、三九八種中文期刊。

6. 日文科技期刊聯合目錄

由中山科學研究院圖書館主編，於民國七十年出版，參加的單位共有四十八個、共收錄一、三七八種日文期刊。

㈡聯合目錄中心之設立

1. 國家聯合目錄中心

民國六十年五月國立中央圖書館成立卡片式的聯合目錄中心，邀請國內十五個大圖書館參加，提供該年五月一日起入藏的中文圖書，每種增製卡片一張，每週彙寄國立中央圖書館，作爲國家聯合目錄的基礎，迄今已有二十個圖書館參與卡片目錄的提供，日後將可期待線上聯合目錄的型式出現。

2. 科技圖書聯合目錄中心

在中華民國科技圖書館及資料單位館際合作組織的推動下，國科會科學技術資料中心於民國七十四年九月完成「西文科技圖書聯合目錄中心」之建立，並自同年十月一日開始提供目錄查詢服務。截至目前爲止，共有八十四個單位參加，約十四萬張卡片，已全部建檔完畢，且於七十七年底開放科技性全國資訊網路(STI-CNET)，大部分的圖書目錄均可供線上查詢。

3. 醫學圖書及視聽資料聯合目錄中心

由榮民總醫院圖書館負責整理，收錄民國六十九年以後二十三個參加單位所購進的中西文醫學圖書及視聽資料目錄，迄今已有二萬七千餘筆資料。

4. 成功大學醫學目錄中心

爲方便南部地區讀者的查檢，成功大學圖書館自民國七十四年起成立「醫學目錄中心」。

㈢電腦印製編目卡及書目報表服務

自民國七十三年起，國立中央圖書館按月發行「中華民國出版圖書目錄」，以目錄卡片的格式，報導當月國內的出版品，不但提供各圖書館在採購新書方面的參考，亦節省了編目上的人力。自民國七十四年起，又開始推廣電腦建檔的產品，各單位可利用「中華民國出版圖書目錄」的電腦編號來訂購圖書目錄卡片，(每張收費二元)，亦可透過該館代為查尋訂購(每張收費三元)，此舉非但避免了編目上人力資源的浪費，亦間接推動了公共圖書館、專門圖書館在編目格式、分類體系上的標準化。

㈣學術圖書館的合作編目

國立中央圖書館於民國七十六年一月邀請了十五所國立大學及學院圖書館，共同討論學術圖書館間合作編目的可行性，最後決議試行一年，期滿後，印製書本式聯合目錄。其作業方式為中文圖書資料由國立中央圖書館向各館寄發新書通告，由各館自行查對，再決定是利用已建檔的編目資料或填寫機讀編目輸入表，送至國立中央圖書館鍵入電腦檔。西文圖書資料則由各合作單位主動寄送新書清單至國立中央圖書館比對、建檔、印卡[18]。

此項合作計畫試行一年以來的實施，已見下列之效益：1.中國機讀編目格式之趨向一致[19]。2.館藏資源特色的凸顯。3.編目負荷量的減輕。4.分類編目素質的提高。5.奠定全國書目網發展的基礎。

合作編目的眞諦在分擔責任，共享資源，集中建檔，節省人力。國立中央圖書館在合作編目建檔作業上的推行雖不遺餘力，但是自動化、標準化、時效性、責任分擔等問題均有待克服。全國書目網能否早日實現亟待書目資料檔的充實。惟有國家書目資訊網之早日建立，各館之間才能共享資源、互通有無⑳。

二、館際互借

政府播遷來台的初期，各館的館藏均相當貧瘠，館際之間的關係並不密切，若有什麼館際間的合作關係，亦基於人際關係的考量，而非合約化㉑。直至二十年前，「館際合作」的觀念才漸萌芽。就發展時間的先後，計有下列幾次努力：

㈠公共圖書館館際互借合作辦法

台灣地區最早的一項館際合作條約係由國立中央圖書館發起，於民國五十七年十二月七日訂定，計有省立台北圖書館（現已改爲國立中央圖書館台灣分館）、省立臺灣圖書館及台北市立圖書館等單位參加「中華民國公共圖書館館際互借合作辦法」的簽約活動㉒，後因種種困難，無法推展業務，使得合作計畫形同具文，良可痛惜㉓。

㈡大學圖書館館際互借合作辦法

全國各大學院校圖書館爲增進圖書流通效能，於民國五十八年十二月三十日簽定「中華民國大學圖書館館際互借合作辦法」，參加者計有國立中央圖書館、交通大學、清華大學、政治大學、師範大學、中興大學、成功大學、東海大學、東吳大學、輔仁大學及中國文化學院、淡江文理學院等十二個單位㉔。由於大學行政主管觀念未能溝通，再加上聯合目錄工具書的缺乏，使得合作條約形同虛設㉕。

㈢科技圖書館及資料單位館際合作組織

民國六十一年六月七日，爲謀求圖書館事業及資訊服務能和我國的科技研究、經濟發展與國家建設齊步並進㉖，中山科學研究院邀請與該院有合作研究計畫的七個單位——清華大學、交通大學、成功大學、聯合工業研究所、空軍航空工業發展中心、聯勤兵工發展中心及中正理工學院共同簽訂「科技研究機構圖書館館際合作辦法」。根據這個辦法，各館得以進行資料的交流，而漸有了組織的最初規模，並且開始接受其他單位的申請加入。這個合作組織是我國館際合作發展史上一個重要的里程碑。館際合作的合約化、正式化均由此開始㉗。

第一次會員大會於民國六十四年三月正式舉行，首次審定通過加入的會員單位達二十七個。民國六十六年四月，此組織正式定名爲「財團法人中華民國科技圖書館及資料單位館際合作組織研究及發展基金會」㉘。迄今，會員已有二百四十三個單位，是一個涵蓋面相當廣的科技館際合作組織。

㈣全國基督教會大專院校圖書館館際互借辦法

東吳、東海、輔仁大學及中原理工學院等圖書館，爲發揚學術，增加圖書流通效能，於民國六十二年特訂定「全國基督會大專院校圖書館館際互借合作辦法」，以試行合作發展圖書館事業。惜未見有具體之成果㉙。

㈤行政院經濟研究單位圖書資料互借辦法

民國六十三年十月廿七日，爲充分利用各研究單位之圖書資料，以收相互支援之用，財政部稅制會、經濟部物價會報、交通部運輸委員會、中央銀行經濟研究處、主計處電子處理資料中心、農復會、研考會及經建會等十個單位同意實行此合作辦法㉚。

每一參加單位分配五張「通用借書證」，以便到各單位圖書室借用資料；並且由各參加單位編製書本式目錄，以及每月新書目錄，分送至各圖書室，以供查檢、借閱，此辦法實施至今，發揮不少效用，可供其他性質的專門圖書館參考㉛。

㈥人文社會科學圖書館館際合作組織

此組織於民國七十年八月二十二日在國立中央圖書館成立，正式定名爲「中華民國人文暨社會科學圖書館及資料單位館際合作組織」，以聯絡國內人文暨社會科學圖書館及資料單位，建立館際合作關係，促進圖書交流與利用爲宗旨㉜。民國七十三年更名爲「中華民國人文社會科學圖書館合作組織」，截至目前爲止，共有九十個單位參加。

㈦法律資訊交流合作組織

爲了聯絡國內法律學系、所、圖書館及資料單位，建立館際合作關係，促進法律資訊的交流與利用，立法院圖書館與東吳大學法學院於民國七十四年十一月二十八日法政資訊交流暨合作服務研討會上，共同發起「中華民國法律資訊交流合作組織」㉝。翌年四月二十四日在東吳大學舉行成立大會，參加的單位包括國民大會、監察院、立法院、司法院、台北高等法院、台北市議會、台灣省議會、東吳大學、政治大學、輔仁大學、台灣大學、國立中央圖書館等十三個單位。民國七十六年二月所出版的「英文法律期刊聯合目錄」包括了二百六十種法律期刊，民國七十七年四月出版的「中文法規聯合目錄」包括了一千五百零九種法規。

就上述三個仍然在運作的館際合作組織而言，其合作範圍非常廣泛，具有多重功能，除了利用每年召開之館際合作大會，邀請國內外之學者專家或國外享譽盛名之資料單位負責人，在大會介紹資訊科學新知、各種科技產品或該單位之作業與服務現況外㉞，更常舉辦各式各樣的業務研討會，對於新知的介紹、我國圖書館從業人員素質的提昇，實功不可沒。

三、合作採訪

有關合作採訪在我國實踐的困難已於第三章闡述。目前國立清華大學與國立交通大學，因地緣關係，已有良好的合作經驗，亟盼這兩校成功的例子，是「空前」，但不「絕後」，帶動更多學校的「從善如流」，走出「合作採訪」寬廣的大道。

現今受行政院國家科學委員會補助之公私立院校及研究機構共有四十九個單位，補助金額達新台幣八千餘萬元。每年訂購期刊近九千種，圖書五千種㉟。大部分學校均透過科學技術資料中心辦理「統籌統購」，就合作採訪的意義而言，科學技術資料中心向國外辦理統一採購的作業已有下列效果：

1. 爭取時效。
2. 減少不必要的重複訂購。

3. 減少期刊缺期及書籍缺書之現象。

4. 獲得較高之折扣優待[36]。

國科會十幾年來的統一採購與經費補助固然大量充實了我國大學圖書館的設備，美中不足的地方，則如王巧燕在其碩士論文所指陳的：「雖然同一單位重複訂購之現象很少，但各單位間重複購置之現象却相當普遍」[37]。換言之，國科會的書刊統一採購作業未能與分科採訪的理想相配合，不能主動、周詳地規劃全國的館藏發展[38]。如德國的「館藏計畫」有分區的重點與特色，可供吾人參考，或日本的「外文期刊中心」亦是很好的例子。其不僅可避免各館間重複訂購，並可將節省的經費用來購置其他更多、更新、更有益的資料，以增加資料蒐集之範圍，並奠定全國圖書資訊網的基礎[39]。

第三節　幾個懸而未決的課題

一、我國的館際合作為何仍停留在館際互借的階段？

館際合作的項目很廣，包括合作採訪、合作編目、合作儲藏以及館際互借等。揆諸國外，館際合作的型態正在急遽蛻變之中，擺脫了以往僅有互借、複印的限制，而進入了人力、設備、館藏等多方面的資源共享。反觀我國，雖然學術圖書館之間已開始合作編目的建檔工作，但是大部分館際之間的合作業務仍停留在館際互借的階段。究其原因，可以歸納如下：

㈠經費與人員的缺乏

經費短缺與專業人才的不足是我國圖書館長久以來所面臨的難題，各館普遍存在工作壓力，無法熱衷參與館際合作的推廣服務，在「多一事，不如少一事」的心態之下，先求「獨善其身」，無法「兼善天下」。

㈡上級單位的不支持

囿於傳統保守的觀念，上級主管單位及領導階層或多或少仍存有「門戶之見」，對於館際合作的業務不願充分配合，致使我國館際合作事業始終不能有所突破。

㈢圖書館自動化的緩慢

一個完整的圖書館網，包括資源、書目及通訊三個系統。館際合作必須結合新的科技設備，才能發揮其功能㊵。惟有線上書目資訊網和館際互借系統的配合，方能加速館際之間的合作㊶。

㈣錯誤的合作觀念

合作必須把握互惠原則，才能達到合作的目的。合作不是單向的依賴，也不是變相的「取代」。各參與的圖書館除了具備共享的意願外，亦須擁有可以共享的資源。易言之，合作業務的推動必須基於經濟效益的考量。

㈤各館館藏無明顯的特色

吳淑芬的研究報告指出：「大專院校有72.1％ 的向外申請

量集中在 21.9％ 的圖書館[42]」，證明了各館館藏無明顯的特色。除了幾個專門圖書館外，目前我國各圖書館的館藏差異性不大，再加上聯合目錄的缺乏，很難制定一個全國的館藏發展計畫，以確保館際合作的成功。

二、如何紓解及平衡館際合作申請量？

綜合國內外有關館際互借申請量的研究，可以發現館際互借申請量常有過度集中在少數幾個大型圖書館的情形[43]。以我國言，約有 87.3％ 的外來申請量集中在 16.1％ 的大型圖書館上[44]。此種現象除了造成館際互借時效的延誤外，亦影響了負荷量過重的單位在參與館際合作時的意願。長此以往，將喪失館際合作的美意與眞諦。

據民國七十三年逢甲大學學生利用圖書館的一項調查指出：全校有將近百分之六十的學生不知道圖書館有「館際合作服務」，可幫助同學借閱或影印館外參考資料[45]。職是之故，圖書館除應加強「參考服務」的宣導活動外，當思進一步研究分析館際合作申請人的資料，以得知那一個系所的學生特別需要館際合作的服務？有那些期刊是讀者需要而圖書館尚未訂購的？並明瞭館際合作組織運作的情形。

逢甲大學圖書館曾先後分析兩次館際合作申請件，一爲民國七十六年一月至五月間，一爲民國七十六年六月至十二月間，其間一度因爲遷館的緣故，停止外來申請的合作服務。就民國七十六年一月至五月間館際合作及外來申請件數資料統計表分析的結果可以發現：

1.逢甲大學圖書館的館際合作向外申請量比外來申請量爲多。向外申請件數計二七六件，外來申請量爲一二五件，前者約爲後者的兩倍。易言之，逢甲大學圖書館是館際合作組織中受惠的單位，也是依賴大館的小館之一。

2.由向外申請件數看來，被申請的單位達二四個之多。就圖書館類型言，大學圖書館佔一二個，研究機構圖書館一一個，機關圖書館一個。可見大學圖書館來往的對象，仍以性質相近的大學圖書館及研究機構圖書館爲主（唯一的機關圖書館係中央標準局，其專利資料向爲各種研究所需）。

3.就被申請單位的分布地區言，中部二個，南部四個，其餘均爲北部。可見中南部地區若形成一合作網絡，將無法自給自足。

4.與民國七十四年外來申請量排行前十名單位之申請表相對照，發現除了醫學單位外，有七個單位永遠是前十名（見表十、表十一）。

5.就向外申請的期刊種數來分析，除中日文期刊及專利部分外，計有七四種西文期刊。館際合作之受益，於此昭然可見。（就圖書館經營的觀點言，每一種期刊的申請件數在五種以上的，必須審愼分析並考慮訂購）。

6.就申請人的系別來分析，館際合作申請量最多的紡織研究所也是期刊使用調查研究中最高的系所。

7.就館際合作外來申請件數分析，民國七十六年一至五月間，共有一二五件，申請單位達二八個之多，其中，大專院校圖書館計一三個，研究機構圖書館有一〇個，其餘則爲事業生產單位及醫藥學院醫院圖書館等。以地區分布言，北部一六個，中部七個，

表 十：逢甲大學圖書館館際合作向外申請件

（依被申請單位大小排列）

地區	名次	被申請單位	合計
南	1	成功大學	58
北	2	清華大學	37
北	3	中山科學研究院	35
北	4	工研院化工所	28
北	5	台灣大學	25
北	6	工技學院	17
中	7	中興大學	11
北	8	工研院機研所	10
北	9	中央標準局	9
北	10	淡江大學	8

表十一：民國七十四年外來申請量排行前十名之單位

名次	單位名稱	外來申請量
1	中央標準局	22,248
2	台灣大學	14,907
3	中山科學研究院	8,550
4	榮民總醫院	7,340
5	科資中心	6,968
6	長庚醫院	4,753
7	國防醫學院	4,599
8	清華大學	4,085
9	成功大學	3,859
10	工研院化工所	3,597

表十二：申請單位與被申請單位之對照

名次	向外申請件	被　申　請　單　位	外來申請件
1	58	成功大學	9
2	37	清華大學	5
3	35	中山科學研究院	10
4	28	工研院化工所	15
5	25	台灣大學	1
6	17	工技學院	
7	11	中央大學	1
8	10	工研院機研所	1
9	9	中央標準局	
10	8	淡江大學	
11	4	文化大學	
12	4	大同工學院	
13	4	中油煉研中心	
14	4	國科會科資中心	12
15	3	交通大學	5
16	3	中原大學	2
17	3	中研院數研所	
18	3	中研院化研所	
19	3	台糖研究所	5
20	2	中山大學	4
21	2	台北工專	
22	1	工研院材料所	8
23	1	中研院植研所	
24	1	航發中心	1
		中央大學	1
		中正理工學院	1
		國防管理學院	1
		靜宜文理學院	1
		雲林工專	4
		淡水工商專校	7
		工研院電研所	2
		港灣技術研究所	6
		中鼎工程公司	4
		永信藥品公司	12
		中國鋼鐵公司	3
		高雄醫學院	1
		秀傳紀念醫院	2
		農業試驗所	1

南部五個，由此可見小館亦有可以支援大館之處。

8.就外來申請件與向外申請件相對照，可以發現有些流量容或不均，但溝通是雙向的。舉例言，逢甲大學圖書館向外申請單位最多的依次爲成功大學、清華大學、中山科學研究院及工研院化工所；而外來申請單位最多的依次爲工研院化工所、科資中心、永信藥品公司及中山科學研究院。有趣的是：在二四個被申請單位的圖書館中，有十個不需逢甲大學圖書館的資料，而二八個外來申請單位中亦有一四個單位是逢甲大學圖書館未向其申請複印資料的。就整個網絡層面，參與的單位達三八個，但互動的只有一四個（見表十二）。這或許可供館際合作組織運作之參考。

多次的館際合作年會及執行小組的會議上，曾有人提出各種計算方式、收費辦法，以補助負荷量過重的單位。但由於方法複雜，施行不易，在衆說紛云下，終遭否決。筆者以爲欲解決此問題，除了靠政府的補助外，亦有賴於館際合作組織的強制執行。

第四節　全國期刊中心之芻議

爲了謀求期刊文獻獲取方法的改進，戴國瑜[46]、方仁均曾撰文探討全國期刊資源中心成立的可行性[47]，黃世雄亦建議擴大國科會科學技術資料中心現有功能，負擔起蒐集全球性一般科技資料的任務[48]。近年來，中部地區幾所大專院校曾有成立「中區研究圖書館」之蘊釀。而民國七十八年二月的全國圖書館會議上亦有此呼籲。

一、定　義

所謂「全國期刊中心（National Periodical Center）」，簡單地說，即是一個全國期刊資訊的中心，能夠適時提供新穎、確實的期刊文獻給予需要的讀者。其類型大致可以分爲下列兩種：

㈠聯絡中心性的期刊中心

這種類型的期刊中心，其本身並沒有期刊館藏，而是屬於全國期刊資訊網絡的中心地位，收集全國圖書館及資訊中心期刊館藏的完整資料，各圖書館的館際互借申請單均先行送至此中心查核、轉發、統籌處理，以最快速度滿足讀者之需求[49]。

此類期刊中心可設置在國家圖書館中，或單獨成立一聯絡中心，政府負擔經費，或由各圖書館聯合支持，或由酌收服務費、影印費來維持。

㈡有庫存的期刊中心

本身擁有大量而廣泛的館藏，隨時支援各圖書館的不足，並減少各館訂購期刊的費用，亦可縮短館際合作文件傳遞往返所需之時間。

「全國期刊中心」在國外已有多年的歷史，如英國的BLLD (British Library Lending Division)，其性質爲資料互借的聯絡中心，且本身擁有館藏。

美國的研究圖書館中心（The Center for Research Libraries ,CRL)，係以期刊爲最重要的收藏，特別是那些昂貴、罕用的期刊。美國的「全國期刊中心」立意雖佳，但未能實現其理想的主要因素是版權法的問題和來自期刊出版商的壓力 [50]。

二、功　能

全國期刊中心 (National Periodical Center) 之重點在於「服務」而非典藏；就消極方面而言，它的成立，可以節省一般圖書館採購期刊的經費、空間上的浪費以及財政上的負擔；就積極層面來說，可以使期刊的豐富資源得以分享，無論是在期刊文獻的提供或是資訊的傳輸方面，均可使利用的單位擴大其服務的項目和內容；而廣泛、完整的收藏，亦可提供及時和便捷的服務 [51]。其功能及服務有下列幾項：

1. 調查、統計全國各圖書館之期刊館藏資料。
2. 全力蒐購世界各國所出版之外文期刊。
3. 編製期刊聯合目錄。
4. 以連線作業方式加入國外資訊服務網，建立一完整的期刊資訊網路。
5. 主動提供「新知選粹服務」。

三、「全國期刊中心」在我國成立的困難

(一)行政管理

座落地點與專責機構是最大的癥結所在，經費和人事上的困難亦是難以突破的瓶頸，此牽涉到位址的提供選擇和專業機構的權威性。

㈡聯合目錄的編製

由於人力設備的缺乏，期刊的合作編目尚未能實施。

㈢經費的困難

根據一九八七／一九八八年版 Ulrich's International Periodical Directory ㊾ 的記載，全世界出版的西文期刊至少有十三萬九千多種。我國最新版次的「科學期刊聯合目錄」共收錄了一萬七千七百二十六種期刊㊿，而人文及社會科學西文期刊聯合目錄也收錄了九千零三十三筆資料[54]。一個全國性的期刊資料中心究竟須收藏多少種期刊才足敷需要？以日本東京工業大學(Tokyo Institute of Technology)的「外文期刊中心(Foreign Periodical Center)」言，共收錄了七千四百廿八種西文科技期刊[55]。而基佛特和萊恩(Kefford and Line)的報告亦指出對很多國家言，七千至八千種的核心期刊館藏可以滿足百分之八十的需求，而兩千種的核心期刊足可應付百分之五十的查索[56]。

不過，核心期刊的鑑定卻十分困難，非但因國別而異，亦隨著科技發展，變動不已。舉大英圖書館出借部門的統計為例：一九七五年排名前一百名的，只有五十五種再度出現在一九八〇年的排行榜上；而前二千名的，亦僅百分之五十五的或然率會再度上榜，前五千名的，有百分之五十二的可能性在一九八〇年重現[57]。（見表十三）

克拉克(Clarke)的研究顯示：大部分的期刊需求均集中在近五年半內的出版品。以大英圖書館出借部門之情形言，科技性期刊有百分之六三，社會科學類有百分之六〇，人文科學有百分

表十三：大英圖書館出借部門期刊需求之演變

Changes in demand for journals at the British Library Lending Division

i. Position in 1980 of top 2,000 titles in 1975			
Rank order 1980	No	%	Cumulative %
1- 2,000	1,097	55	55
2,001- 3,000	246	12	67
3,001- 4,000	125	6	73
4,001- 5,000	129	6	80
5,001- 8,000	116	6	86
8,001-18,975	109	5	91
not on list	178	9	100
ii. Position in 1980 of top 5,000 titles in 1975			
Rank order 1980	No	%	Cumulative %
1- 5,000	2,591	52	52
5,001- 8,000	770	15	67
8,001-18,975	648	13	80
not on list	991	20	100

資料來源：Brian Kefford and Maurice Line, "Core Collections of Journals for National Interlending Purposes," *Interlending Review* 10 (1982): 40.

之三一在此範圍內[58]。但是基佛特和萊恩亦特別指出開發中國家比已開發國家需要更早的出版品，而人文科學類亦常須追溯更古老的文獻[59]。

㈣缺乏合作館藏發展計畫

我國大學圖書館歷年來西文期刊之採購，向透過國內代理商辦理訂購手續，或委託行政院國家科學委員會科學技術資料中心代為訂購，「由於各館之間並無隸屬關係，且彼此之間又無協調聯繫與溝通，因此重要的期刊各館重複採購[60]。」至於次要者，因限於經費，常無法購置，除了造成國家資源的浪費外，亦使讀者在查索文獻時，甚為不便。

四、館藏互借服務中心的模式

考查國外館際合作互借系統的模式可以有下列數種：

㈠集中向一個最大的館藏借閱：如美國國會圖書館、大英圖書館出借部門。世界各國中，英國的國家圖書館(British Library)的資料供應中心(Document Supply Center)就單一圖書館互借服務中心言，是一個非常成功的模式。

㈡集中在幾個大型圖書館：將資料徵集出借工作都集中在某些特定的圖書館，比較能發揮各館之專門館藏，亦可計畫分配發展館藏[61]。丹麥的互借系統就是一個例子[62]。

㈢分散型：由圖書館間自由互借，全部仰賴聯合目錄來幫助館際互借。未經規劃制度所形成的互借系統往往是自然發展而成，如荷蘭與美國的情形即是館藏較少向館藏較多，互借功能較佳的圖書館申請[63]。

㈣集中式與分散式合併：館際互借集中在少數館藏較多之單位。亦即選擇館藏豐富且管理完善的圖書館作爲館藏發展及出借服務中心。西德的模式亦是另一個館際互借極爲成功的例子，其係按地區及資料的學科類別而分。

要之，一個集中、全國性的館際互借中心雖可以提供較理想的服務，但是經費、館舍、管理等方面的困難亦不易克服，以我國目前的環境，或許可以考慮一個部分集中式(partial centralization)的管理方式。亦即利用國家科學委員會補助各大專院校的書刊經費作有計畫的分配，發展合作館藏。

五、實現全國期刊中心的步驟

㈠掌握各館的基本館藏資料。

以「綱要」的模式，有共同的語言，描述各館的藏書等級、類別。

㈡加強現有館際合作的功能。

在全國圖書館會議上，有單位建議教育部能補助大專院校圖書館一部傳眞機，以便捷館際合作的服務。淡江的黃鴻珠教授亦認爲國際學術網路(BITNET)的普遍亦可被圖書館廣爲利用。

㈢全國圖書館網路的建立

目前科資中心建立的「科技性全國資訊網路」是一個起步。

㈣合作採訪重點期刊

科資中心由於代國內大專院校圖書館統籌統購西文期刊，對於合作採購、經費之分配，已有豐富之經驗，而且與國外代理商建立了良好的關係，再加上科資中心科技資料庫與管理資訊系統之健全，已具備完善之基礎，更何況國科會每年補助大專院校的圖書儀器設備費每年已逾八千萬，實應妥爲運用。

要之，我國期刊的館藏向來不豐富，無法滿足讀者學術及研究的需要，有鑒於期刊文獻的日趨重要與經費的龐大，一個全國性期刊資料中心的成立或一個全國性期刊館藏的發展規劃，實刻不容緩。亟盼政府能責成一個專門機構，負責西文期刊的採購，傳送以及與日本「外文期刊中心」、大英圖書館出借部門以及美國國會圖書館等單位的合作。

第五節　今後努力的方向

開發館際合作活動，溝通資訊，已是圖書館事業未來發展的趨勢。處於資訊時代的今天，僅憑一個圖書館的力量，已無法應付廣大讀者的需求，館際合作也因此將扮演更重要的角色。民國七十五年中國圖書館學會的年會上，李總統的致詞裡特別強調健全合作編目制度，減少各館重複編目的工作，以節省人力與時間，做到一館編目，大家分享的目的[64]。

此外，整合與統一中文電腦現有輸入方式，建立中文科技資訊系統，增進國際間資訊互惠的效果[65]，亦是我國應該努力的目標之一，然而建立全國性的圖書資訊網路，並非一蹴可幾，需要多方面的配合及長時間的努力。茲就管見所及，分疏如下：

一、向合作採訪的道路問津

「合作採訪」是多所圖書館之間經由協議，以分工方式蒐集特定範圍內的所有資料，避免各種不必要的重複，以節省經費，共享資源[66]。其目的除在充實地區性的館藏，並達成蒐集全世界出版品的理想外，更在抑止圖書館館藏不必要的成長，以節省資料儲存的空間，增加經濟效益[67]。

有鑑於西文圖書價格之昂貴，七十五年度的人文社會科學館際合作組織會員大會上，執行小組曾提議「各會員單位試行小規模之合作採訪制度」。其建議的辦法是在不影響各單位原有採購作業及經費預算下，就原有之基礎，自行提出擬加強採購收藏之學科或主題，交由執行小組彙整，並擬具合作方案試行之[68]。

此外，王巧燕指出我國合作採訪之規劃，可以大學圖書館分科採訪為發展起點[69]；陳海泓強調：宜先建立科目資料的合作，再推展到全國圖書館的合作[70]。職是之故，我國各類型圖書館應各就所需，作特色性及重點性的規劃，同一地區各館之間先完成館藏發展政策的擬訂，自我釐定資料收藏的範圍與深度，再共同合作，相互支援，務期以最少的經費為最大多數的讀者提供最好的服務。

二、朝圖書館自動化的山頂邁進

在館際互借方面，有百分之九十以上的圖書館仍利用信件的方式傳送[71]。如何改善館際互借傳遞緩慢的問題，國內外的研究報告一致指出：為爭取館際互借回覆的時效，必須廣泛使用電子傳遞系統，如無線電傳真機，利用電腦線上檢索等。目前國內已有少數圖書館利用傳眞機從事館務溝通及館際合作業務，以爭取時效。

書目資訊網之設立是館際合作不可或缺的工具，也是實施資源共享必經的途徑。民國七十六年度的人文社會館際合作組織年會上，靜宜文理學院圖書館曾建議利用國立中央圖書館之資料庫製作光碟片，以供各圖書館在編目時之參考及編製地方聯合目錄之用❼❷。據悉，國立中央圖書館已委託工業研究院製作書目光碟片，近期內將可完成。

電信局於民國七十六年八月一日開辦電傳視訊、電子信箱等兩項業務，分別以電傳視訊中心，公衆信息處理中心的電腦，配合電信網路，分封交換網路與電報交換網路等現代化科技爲用戶提供傳遞、交換、聯繫、取閱訊息的功能，同時也爲國內圖書館建造了一條促進資源共享，加速成立全國資訊網的捷徑❼❸。

三、經費的籌募

誠如國立中央圖書館王館長在早年所指出的：合作計畫，若欲成功，須具備下列的條件：㈠基於共同的需要，能於合作中彼此身受其惠。㈡有健全的組織及管理，負責計畫與實施。㈢要有充分的經費支援，不致因經費短缺而影響計畫的進度❼❹。館際合作的推動有賴於經費的支援，除了政府的補助外，企業界人士的參與，實不可或缺。

以英美爲例，卡迺基基金會 (Andrew Carnegie)曾投資美金五千萬元以上，興建了二千八百餘所的公共圖書館，對圖書館館際合作的推動，功不可沒❼❺。目前我國游資充裕，如果能夠鼓動風潮，造成時勢，喚起社會人士的共襄盛舉，將可使我國館際合作的業務更上一層樓。

四、研究與統計工作的加强

早在一九六〇年代，美國就有許多重要且值得參考的館際合作研究報告，這些文獻特別強調惟有進行周延的調查和分析，才能改善館際合作所面臨難題[76]。舉例言，經由館際互借與複印借貸量之統計，可知各館讀者之需求資料類別，作爲補缺之依據；除了瞭解館藏之虛實外，並可供採訪之參考[77]。

此外，館際互借資料的特性（即類型、年代、語文等）、大小、獲得率、時效性及成本分析等方面的問題亦值得探討[78]。因爲一個館際合作系統的評估除了可靠性、彈性、獲取率、可行性等品質管制的考量外，亦須注意社會成本、經濟效益等因素[79]。

五、圖書期刊複本交換中心的成立

複本書的互贈、轉移可以充實圖書館之間彼此的館藏，亦可以解決圖書館空間的問題，實在是個一舉多得的措施。美國有「叢刊及圖書交換中心」(USBE: Universal Serials and Book Exchange)的建立，國際圖書館協會聯盟亦有複本期刊的贈送清單，定期寄贈會員圖書館。

七十六年度人文社會館際合作組織的年會上，曾建議各單位將欲贈送之書刊列册，彙總執行小組後，印發會員圖書館參考，惜效果不彰。國立中央圖書館的國際出版品交換處雖代許多圖書館寄發學報至國外機構，但無人力、空間、負擔起整理各館之間複本期刊的責任。我國政府如果能夠考慮設置一個圖書館期刊複本交換中心，非但可以促進國內資源的流通，亦可以有計畫地和國外交換出版品。

第六節　結　論

合作須講求平等互惠的原則，各館如一昧地仰賴他館，是推展合作最大的障礙，各圖書館須有此共識。因此之故，彼此之間如何充實館藏或共同分擔圖書資源，不得不有事前的協調與規劃，此有賴於立法與行政部門的支援[80]，政府在這方面的補助與策劃，常具有舉足輕重的影響。此外，社會的普遍重視是促進政府機構有效輔導的動力，也是合作組織順利推展的重要環境[81]。因而圖書館員須注意形象的提昇，化阻力為助力，始竟全功。

事實上，整個圖書館的歷史，就是一部合作的文獻[82]。誠如伊士里克 (J. T. Eastlick) 所說：「留心全國性以及區域性圖書館計畫，包括合作計畫和網路，是圖書館事業的主要課題[83]。」為了有效的經營圖書館，各館之間必須分工合作；為了能進一步滿足讀者的需求，也為了符合「知識的水庫，學術的銀行」的美譽，圖書館之間必須共享資源。我們深信圖書館發展的最好辦法，乃在於「合作」[84]。

附　　註

❶ Douglas W. Bryant, "Strengthening the Strong: the Cooperative Future of Research Libraries," *Harvard Library Bulletin* 24 (1976): 5.

❷ Paul H. Mosher and Marcia Pankake, "A Guide to Coodinated and Cooperative Collection Development," *Library Resources & Technical Services* (October / December 1983): 418.

❸ Barbara Markuson, "Library Networks : Progress and Problems," in *The Information Age : Its Development, Its Impact* (Metuchen, N. J. : The Scarecrow Pr, 1976), pp. 34 - 39.

❹ Jeanne Sohn, "Cooperative Collection Development: A Brief Overview," *Collection Management 8* (Summer 1986) : 1.

❺ 唐潤鈿，「館際合作的趨向」書僮書話（臺北市：文史哲出版社，民國 72 年），頁 85。

❻ John Fetterman, "Resources Sharing in Libraries - Why ?" in *Resource Sharing*, ed. Allen Kent (New York: Marcel Dekker, 1974), p.3.

❼ Basil Stuart - Stubbs, "An Historical Look at Resource Sharing," *Library Trends* 23 (April 1975): 649-664.

❽ David C. Weber, "A Century of Cooperative Programs Among Academic Libraries," *College and Research Libraries* 37 (May 1976): 205 - 206.

❾ 同❽，頁 206。

❿ 同❽，頁 207。

⓫ 同⓬。

⑫ Robert B Downs, *Union Catalogs in the United States*(Chicago : American Library Association, 1942).

⑬ Susan K. Martin, *Library Networks 1978 - 79* (White Plains, New York : KIP, 1978), p.6.

⑭ 陳海泓，「圖書館館際合作之探討」，臺南師專學報（民國 67 年），頁 154。

⑮ 吳淑芬，我國人文社會及科技館際合作組織館際互借現況及問題之研究，國立臺灣大學圖書館學研究所，碩士學位論文，民國 76 年。

⑯ 彭慰，我國聯合目錄編製之研究，國立臺灣大學圖書館學研究所，碩士學位論文，民國 74 年，頁 135-136。

⑰ 同⑯，頁 120-123。

⑱ 雷叔雲，「合作編目的過去，現在與未來」，臺北市立圖書館館訊，五卷二期（民國 76 年 12 月），頁 28。

⑲ 江綉瑛，「國立中央圖書館推行合作編目建檔作業之探討」，中國圖書館學會第三十五屆會員大會專題討論資料（民國 76 年 12 月），頁 4。

⑳ 胡歐蘭，「國家書目資訊網之建立與發展」，中國圖書館學會會報，第四十一期（民國 76 年 12 月），頁 65-73。

㉑ 陳炳昭，「我國近十年來科技圖書館館際間合作關係之回顧與展望」，圖書館事業合作與發展研討會會議紀要（臺北市：國立中央圖書館，民國 70 年），頁 210。

㉒ 林文睿，「倡導圖書館館際合作」，圖書資料學刊，一期（民國 60 年 5 月），頁 69。

㉓ 顧敏，「臺灣地區館際合作的努力與現況」，臺北市立圖書館館訊，五卷二期（民國 76 年 12 月），頁 12。

㉔ 國立中央圖書館館刊，第三卷第二期，頁 114。

㉕ 同㉓。

㉖ 中華民國科技圖書館及資料單位館際合作組織，中華民國科技圖書館及資料單位館際合作組織工作手冊（臺北市：編者，民國 75 年），頁 11。

㉗ 國立中央圖書館，中華民國圖書館年鑑（臺北市:編者，民國 70 年），頁 350。

㉘ 七十七年度科技圖書館及資料單位館際合作組織第二次執行小組會議紀錄。

㉙ 「全國基督教會大專院校圖書館館際互借辦法」，中國圖書館學會會報，二十五期 （民國 62 年 12 月），頁 31。

㉚ 張樹三，「行政院經濟研究單位圖書資料互借記實」，中國圖書館學會會報，二十七期（民國 64 年 12 月），頁 53。

㉛ 同⑭，頁 177。

㉜ 何秀薇，中華民國人文社會科學圖書館合作組織會員手冊（臺北市：中華民國人文社會科學圖書館合作組織，民國 75 年），頁 256。

㉝ 莊建國，「圖書館團體」，第二次中華民國圖書館年鑑（臺北市：國立中央圖書館，民國 77 年）。

㉞ 馬道行，「我國科技圖書館及資料單位館際合作組織之宗旨與發展現況」，臺北市立圖書館館訊，五卷二期（民國 76 年 12 月），頁17。

㉟ 顧敏，圖書館採訪學（臺北市：臺灣學生書局，民國 68 年），頁151-152。

㊱ 方同生，西文圖書期刊採購實務（臺北市：科學技術資料中心，民國 69 年），頁 176-177。

㊲ 王巧燕，「圖書館合作採訪制度發展史之研究」，文化大學史學研究所，碩士論文，民國 76 年，頁 205。

㊳ 楊美華，「合作館藏發展」，中國圖書館學會會報，第四十一期（民國 76 年 12 月），頁 105。

㊴ 同㊲，頁 206。

㊵ Rod Henshaw, "Libray to Library [1985 ALA Annual Conference Progroms on Interlibrary Loan, Document Delivery Resource Sharing]" *Wilson Library Bulletin* 60 (Sept. 1985): 54.

㊶ Geraldine King & Herbert Johnson, "Interlibrary Loan," In *Encyclopedia of Library and Information Science* v.

12, ed. Allen kent and Harold Lancour, (New York: Dekker, 1974), p. 197.

㊷ 同⑮，頁 93-96。

㊸ 同⑮，頁 43。

㊹ 同⑮，頁 96-99。

㊺ 林麗雲，「逢甲大學學生利用圖書館狀況調查報告」，逢甲學報，第十八期　（民國 74 年），頁 166。

㊻ 戴國瑜，期刊管理及利用（臺北市:臺灣學生書局，民國 77 年，增訂三版），頁 212。

㊼ 方仁，「期刊資料中心」，圖書館學刊，第十期（民國 70 年），頁 15-35。

㊽ 黃世雄，「發展資訊工業應重視的問題」，現代圖書館系統綜論（臺北市：臺灣學生書局，民國 75 年），頁 42。

㊾ 蘇瑞紋等，「全國期刊中心可行性研究」，圖書館學的沈思（臺北市:國立臺灣大學圖書館學系，民國 76 年），頁 216。

㊿ "National Periodicals Center Challenged," *Library Journal* 105 (March 15, 1980) : 658 - 662.

51 許令華等著，「中華民國全國期刊中心可行性之研究」，圖書館學的沈思（臺北市：國立臺灣大學圖書館系，民國 76 年），頁 195。

52 1987 - 1988 Ulrich's International Periodical Directory.

53 行政院國家科學委員會科學技術資料中心，科學期刊聯合目錄，第十五版（臺北市：編者印行，民國 76 年）。

54 國立中央圖書館，臺灣公藏人文及社會科學西文期刊聯合目錄（臺北市：編者印行，民國 76 年）。

55 1987 年東京工業大學要覽。

56 Brian Kefford and Maurice Line, "Core Collections of Journals for National Interlending Purposes," *Interlending Review* 10 (April 1982): 35.

57 同52，頁 39。

58 A. Clarke, "The Use of Serials at the British Library Lending Division, in 1980," *Interlending Review* 9

(October 1981): 111 - 117.

59 同52。

60 同37。

61 陳豫，「圖書館館際合作與資源共享的條件與方法」，中華民國人文社會科學圖書館合作組織七十五年第六屆會員大會紀錄，頁7。

62 Ingerlise Koefoed, "Interlibrary Lending in Denmark Past and Present, " *Scandinavian Public Library Quarterly* 11 (1978): 57 - 58.

63 陳豫，「館際互借服務中心的任務與建立模式」，教育資料與圖書館學，第廿六卷，第二期（民國78年），頁158-160。

64 中央日報，民國75年12月8日，第四版。

65 同48，頁43。

66 Petrick M'Obrien, "Cooperative Collecting and Sharing," *Illinois Libraries* 60 (February 1978): 111.

67 Mario Goderich, "Cooperative Acquisitions: The Experience of General Libraries and Prospects for Law Libraries," *Law Library Journal* 63 (February 1970):57.

68 中華民國人文社會科學圖書館合作組織七十五年第六屆會員大會紀錄，頁27。

69 同37，頁215。

70 同14，頁177。

71 同15，頁65。

72 中華民國人文社會科學圖書館合作組織七十六年（第七屆）會員大會紀錄，頁35。

73 高鵬，「資源共享的捷徑——電傳視訊與電子信箱服務」，中國圖書館學會會務通訊，第62期（民國77年5月），頁20。

74 王振鵠，「美國圖書館之合作採訪制度」，圖書選擇法（臺北市：國立臺灣師範大學圖書館，民國61年），頁125。

75 S. P. L. Filon, "Andrew Carnegie and His Contributions to Library Co-operation," *Interlending and Document*

Supply 13 (April 1985): 31.

⑯ Rolland Stevens, "A Study of Interlibrary Loan," *College and Research Libraries* 35 (Sept. 1974): 336-343.

⑰ Sarah K. Thomson, *Interlibrary Loan Involving Academic Libraries* (ACRL Monograph no.32 [Chicago: ALA, 1970]).

⑱ Association of Research Libraries, *A Study of the Characteristics, Costs and Magnitude of Interlibrary Loan in Academic Libraries*, ed. Vernon E. Palmour (Westport, Conn: Greenwood Pub, 1972).

⑲ Philip H. Sewell, "Resource Sharing Co-operation and Co-ordination," in *Library and Information Services* (London: Andre Deutsch, 1981), p. 81.

⑳ Abuelmajid Bouazza, "Resource Sharing among Libraries in Developing Countries: The Gulf between Hope and Reality," *International Library Review* 18 (October 1986): 380.

㉛ 黃世雄，「美國圖書館合作組織」,現代圖書館系統綜論（臺北市：臺灣學生書局，民國75年），頁312。

㉜ Donald Coney, "The Potentialities, Some Notes in Conclusion," *Library Trends* 6 (January 1958): 377.

㉝ Robert D. Stueart and John Taylor Eastlick, *Library Management*, 2nd ed. (Littleton, Colorado: Libraries Unlimited, 1981), p.37.

㉞ Joseph C. Shipman, "Acquisition", in *Resource Sharing in Libraries: Why, How, When, Next Action Steps*, ed. Allen Kent (New York: Marcel Dekker, 1974), p.100.

第六章　圖書館網絡

第一節　定　義

圖書館網（Library Network）一詞，於一九六五年時開始出現于美國的圖書館學文獻上❶。就圖書館的應用言，圖書館資訊網指的是一種資源分享，一種經由館際之間的合作，以達到降低成本，避免浪費的努力；這也是透過遠距離通訊傳播資訊的--種服務。因著各種科技的進步，許多通訊器材已經開啓了圖書館合作的新紀元。

科羅拉多州研究圖書館聯盟(Colorado Alliance of Research Libraries)的蕭奧（Ward Shaw）❷曾將圖書館網定義爲：由許多獨立元件所聚合以便達到相互利益之目的的一種系統。其重點在「系統(System)」、「獨立元件(independent components)」及「相互利益之目的（mutually beneficial purpose)」。要之，圖書館網不僅是電子交換系統，更是通訊系統。此通訊系統包括電腦線路及其他儲存及傳送資訊之硬體設備。

美國圖書館暨資訊科學委員會(NCLIS--National Commision on Libraries and Information Sciences）對圖書館網解釋爲：「兩個或兩個以上的圖書館，經由通訊網路，從事於資訊交換之工作，其有一個正式的協議，由各種不同類別的圖書館提供資料、資訊服務予可能的使用者❸。」所以，我們可以發現：圖書館網是圖書館相互合作，將各自館藏的資訊連結一環，組成一大型的圖書館系統，由參與圖書館網的各圖書館相互以通訊方式連繫，將資訊網內所有資訊資源供應給各圖書館使用，使得每一個人，或每一個會員單位得以享受豐富的、切題的、有時效性的知識資源。

資訊網與圖書館網二詞常交互使用。按照「美國圖書館協會圖書館暨資訊科學名詞辭典」(ALA Glossary of Library and Information Science) 解釋，前者為「組織間用以建立及分享資訊的一種網路，此網路不同於尋找原始資料來源的書目性資料網路。」❹後者則是「圖書館界集中發展合作計畫及服務之一種特別形式，包括了電腦與遠距離通訊之使用，中心辦公室之建立和圖書館網之協調、規劃❺。」

畢爾曼(Toni Carbo Bearman) ❻亦指出圖書館網係建立在合作編目及館際互借系統上，其所處理的資料大都是書目性質。至於資訊網則如洛克希德公司資訊系統(Lockeed DIALOG)、系統發展公司(SDS - System Development Services)等所提供之線上資訊檢索，包括摘要及索引等服務。其資料係針對期刊論文、會議論文及其他文獻之分析。易言之，資訊網除書目資料外，亦包含了部分原文與數據資料 (factural and numeric data)。

史萬克(Swank)❼認為資訊網的特點如下：1.資源：以媒介物、資料庫、輸入設備等方式庋藏文獻或資料。2.讀者或使用者：通常溯自主要原始資料。3.一個文獻或資料結構的整體類表：供讀者使用之手册。4.傳送資料給讀者或使用者的方法:輸出設備。

5. 正式組織：以合作或締結契約方式形成。6. 雙向通訊網路：常是高速度、長距離之電信傳輸。而諾曼史蒂文斯(Norman Stevens) ❽ 則指出圖書館網的特性為：1. 參與圖書館須付款才能享受服務。2. 由一位專任館員負責協調。3. 有一獨立的管理機構。4. 合作建立機讀書目資料庫。5. 以遠距離通訊系統連接線上作業。

兩者之不同，可由表十四看出端倪。

表十四：圖書館網與資訊網之區分

項　目	圖書館網	資訊網
1. 檢索方式	有線檢索 (hardwired access)	撥號檢索 (dial-access)
2. 經營性質	非營利機構 (Non-profit Organization)	商業機構 (Commercial Vendors)
3. 資料形式	書目記錄 (Bibliographic record)	資訊資料 (Information data)
4. 人　員	圖書館館員 (Librarians)	資訊專家 (Information professionals)
5. 其他特色	資源分享 (Resource Sharing)	深入索引 (In-depth index)

儘管如此，圖書館網、資訊網二詞始終沒有清晰的分野，美國國會圖書館標題表採用「圖書館資訊網(Library Information Network) ❾」來涵蓋之。歸納衆家學說，可知美國的圖書館網是

正式的、有合同手續的各類型圖書館、圖書館系統和資訊中心的結合。其共同目的在以電子計算機技術和現代通訊設備爲基礎，集中利用共同的資源，提高服務功能並降低成本。

第二節 美國圖書館網的發展

早在一世紀以前，美國的圖書館網已略見雛形。一八七九年美國圖書館協會(American Library Association)成立，以及國會圖書館自一九〇一年起之分送卡片目錄以加強全國圖書館之活動時，已爲圖書館網奠定了基礎。當時雖然沒有「圖書館網」之名稱，但已具有圖書館網組織的實質與功能。一九五〇年，國會圖書館以書本式目錄——「全國聯合目錄(National Union Catalog)」支援其他圖書館，加速了館際間資料之交換。書目控制系統的發展，使得圖書館網之連結得到實質的效果⑩。

一九五〇年至一九六〇年間，館員們漸重視資料處理之技術，開始了各種自動化的準備工作。而國會圖書館機讀編目格式(MARC-Machine-readable cataloging)的開創對圖書館網的發展，實具有決定性的影響。一九六九年，開始有了機讀式目錄資料的分送，一九七〇年，俄亥俄大學圖書館中心(OCLC)首次以整批作業處理五十四個會員圖書館的資料，一九七一年並開始線上服務，使得電腦化圖書館網很快成爲館際聯絡的工具⑪。緊接著，一些主要的圖書館網亦隨之線上作業，如史丹福大學之「大圖書館書目電腦作業分時系統」(BALLOTS Bibliographic Automation of Large Library Operations Using a Time - Sharing System)

現改名爲「研究圖書館資訊網」(RLIN-Research Libraries Information Network)於一九七二年十一月成立，多倫多大學圖書館自動化系統(UTLAS)於一九七三年十二月啓用，華盛頓圖書館網(WLN)則開始於一九七五年。

綜之，圖書館網演進過程是由館際互借、合作採訪、進而聯合目錄、集中編目至書目性資料網的產生。其觀念的形成約在一九六○年代的中期，至一九七○年代已甚爲普遍。而導致圖書館網成長、茁壯的因素則有下列數點：

1. 財政的困難：多數美國圖書館的預算不斷削減，而與此同時的出版品與各種圖書設備，價格卻急遽上漲。聯邦政府和地方自治機關對美國圖書館的財政支助經常是不足的。購買力的低落，服務意願的增加，促進了館際間合作的必要性。

2. 讀者需求的專業化：由於知識之膨脹，讀者對專業資料之需求也跟著增加。各館爲了以有限的經費來獲取、處理大量的資料，都願意加入資源分享的組織。

3. 電訊傳播之發達：在技術上，由於電子技術及器材的日新月異，使電訊傳播更爲迅速、經濟。因此一般圖書館皆能負擔電腦化作業。而迷你電腦的蓬勃發展及電訊專線(VAN-Value-added Network) 的開放，均促使各圖書館紛紛加入資訊網的系統⑫。

4. 國會圖書館機讀目錄服務處的建立：此對美國圖書館網的發展有極重大的貢獻。由於機讀目錄的規格是標準的交換格式，其磁帶可用于各種型號的電子計算機。書目的自動化幫助圖書館克服地理上的障礙，創造了全國合作的條件。

5. 美國聯邦政府在發展全國資訊政策上的參與：一九七○年

美國教育局(U.S. Office of Education)與美國圖書館協會在華倫頓(Warrenton)的厄爾里屋(Airlie House)共同召開一次會議，爲圖書館合作確定了具體目標。此會議爲美國圖書館網訂定了良好基礎，由此，成立了全國圖書館資訊科學委員會(NCLIS)，積極致力於全國圖書館網的發展⓭。

第三節　圖書館網的功能與種類

一、功　能

圖書館網成立的目的在將各方面資源和書目系統，按照一致規格，建立一足以分享書目資料、電腦設備和人力資源的體系⓮。圖書館網的建立，不僅減少個別圖書館人力、資源上的浪費，而且是最有效的資訊服務單元。其主要的功能有三：㈠直接服務讀者——館際互借、系統間的資訊服務與繼續教育等。㈡直接服務圖書館網各會員單位及間接服務讀者——合作採訪、編目及流通等控制系統之技術處理。㈢支援網路結構——推展及評估各種業務、訓練及通訊活動等⓯。

在圖書館作業方面，圖書館網所提供的服務，主要有合作編目、線上檢索以及館際互借，但其可執行的工作項目包羅萬象，實包括下列等方面：1.管理功能。2.行政功能。3.採訪功能。4.編目及目錄卡片製作功能。5.處理/準備功能。6.資訊檢索功能。7.流通功能。8.期刊控制。9.館際互借功能。10.傳送。11.儲存。12.諮詢。13.通訊。14.教育。15.標準化功能。16.行銷功能以及17.系統發展與支援功能等⓰。

二、種　類

圖書館網建立的理由，在「謀求資訊的有效連結與共享」。就系統本身而言，則在「建立溝通的實質與有效的流通」⓱。其類型的劃分可有多種方式，以其所屬機構來分，計有：1.公共圖書館。2.學術圖書館。3.專門圖書館等。依地區分，則有：1.州際性網路。2.區域性網路。3.多州性網路。4.全國性網路。5.國際性網路等⓲。

白特勒(Butler)曾將圖書館網歸納成二類：一種是資源的網路 (Resource) ，即提供會員和其他單位資料庫、通訊設備及電腦系統等，這一類型的圖書館網如俄亥俄大學圖書館中心(OCLC-Ohio College Library Center)和多倫多大學圖書館自動化系統(UTLAS - University of Toronto Library Automation System)等。另一種是作爲組織的網路(An Organization) ⓳。

圖書館網本來就是一種組織，可以是正式的，亦可以是非正式的。由有共同目標所組成的一個地區性網路就是一個圖書館網。如新英蘭地區圖書館資訊網(NELINET-New England Library Network)、東南地區圖書館資訊網(SOLINET-Southeastern Library Network)、華盛頓圖書館網(WLN-Washington Library Network)、研究圖書館組織(RLG-Research Library Group)等皆是正式的組織單元，有會員參與，中央辦事處和指導單位⓴。

茲就其重要者分述如下：

㈠ OCLC

一九六七年成立的俄亥俄大學圖書館中心(Ohio College Library Center)，已於一九八一年改名爲線上電腦化圖書館中心(Online Computer Library Center)[21]。這原爲俄亥俄州學院協會(Ohio College Association)的一項研究計畫，爲使該州學術圖書館的資源得充分利用，而成立的合作組織。到一九七三年，已將會員擴大至多類型圖書館，包括公共圖書館、學術圖書館；合作地區也擴張爲多州際。至目前爲止，它擁有的會員，已屆九千餘個機構，普及全美各個角落以及世界各地等二七個國家，擁有書目資料達一千九百多萬筆。

其系統的主要設計有：1.線上聯合目錄，合作編目。2.叢刊控制。3.採購系統。4.館際互借。5.流通出納控制。6.線上檢索作業等。雖然它是美國最早也是最成功的圖書館網，但仍有一些缺點存在，如：1.會員們輸入時對系統不夠熟悉，或查尋時不夠仔細，造成許多資料的重複。2.有些圖書館因爲不熟悉 MARC 格式，未能依標準格式建檔，而缺乏一致性。3.因建檔館員的水準參差不齊，有許多錯誤[22]。4.沒有主題檢索的功能。

㈡ RLIN

研究圖書館資訊網(Research Libraries information Network)。史丹福大學之大圖書館書目電腦作業分時系統原稱BALLOTS (Bibliographic Automation of Large Library Operation Using a Time - Sharing System)，由史丹福大學於一九七二年所發展。目前所服務的圖書館計四百個。其主要工作項目爲：1.合

作發展暨管理館藏。2.館藏資料的分享。3.保存研究性資料。4.創立書目網等。發展初期，它的資料庫比 OCLC 小很多，會員也少很多，但其特色是：輸入控制非常嚴謹，可以指出建檔的錯誤，且錯誤未經更正便無法被系統接受，另一個大優點是具有主題檢索的功能。

㈢ WLN

華盛頓圖書館網（原稱 Washington Library Network ，現改爲 Western Library Network ）於一九七六年經華盛頓州立法通過，翌年七月，在州圖書館委員會(State Library Commission)主持之下，成爲正式編制單位，它的會員館約一百個，屬區域性的，多在美國西北部的各州。此系統雖然不大，但卻以所發展的軟體和電腦微縮目錄(COM Catalog-Computer Output Microfilm)見長。其電腦軟體功效很大，可出售給欲自動化的圖書館。澳洲國立圖書館(National Library of Australia)即以 WLN 的套裝軟體發展其線上集中編目系統㉓。

㈣ UTLAS

多倫多大學圖書館自動化系統(UTLAS-University of Toronto Library Automation System)，係加拿大多倫多大學發展的系統。一九五九年開始嚐試將其編目資料轉換成機器可讀的形式，一九七六年先整批處理，一九七七年方有線上作業，但是始終沒有廣爲宣傳，直至一九七八年，才在美國圖書館協會年會上展示。一九八〇年代進入美國市場，第一個客戶是羅契斯特工藝學院(Rochester Institute of Technology)。目前的會員館，包括了美國、加拿大、日本等二千五百多個各種類型和規模的圖書館機構。其資料庫亦是非常龐大，特色之一是現存的三千七百萬筆書目記錄，包括了許多中、日、韓文資料的編目，對東亞圖書館幫助良多。此外，美國、加拿大和日本等地二十多個書商參加 UTLAS 圖書訂購網路，著名的書商如 Academic Book Center,Blackwell's, Brodart, Coutts, Faxon 及 Flammarion 等。

第四節　圖書館網之經營與網路結構

在探討圖書館網之成敗問題中，圖書館網之經營模式是最重要的一環。沒有管理，圖書館網不能存在，而管理之模式又牽涉到網路結構及政策問題，各種技術限制及決策之考慮亦會影響到圖書館網之結構。

網路結構之不同，大致可分爲四種：星相網路、分散式網路、環狀網路及層次體系網路㉔，茲分別介紹於后：

一、星相網路(Star Network)或完全集中網路(Totally centralized)

此係採集中式控制運作，以一套大型電腦爲中心，網路自中心呈星狀向四周散佈（見圖十）。它所提供的活動或服務，都由中心點控制㉕。最淺顯的例子是以一個大型圖書館做爲圖書館網的內部，而其外圍則連接許多圖書館的分館，雖然各自服務，卻是集中管理。紐約州館際合作網 (NYSILL-New York Interli-

圖　十：星相網路（完全集中網路）

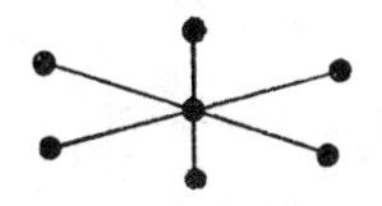

brary Loan Library)的館際互借處理即是此種網路的顯著例子。

星相網路以集中控制方式將資訊垂直流動 (Vertical flow) 至各節點，並由中心點與其他點聯絡。星相網路的優點是比較經濟，不會重複儲存，浪費空間，且易於控制；但缺點則有下列等方面：1.需要一套能量相當大的電腦作為網路之核心。2.不論主電腦能量有多大，倘用於衆多終端站，大量資訊傳輸，終會發生瓶頸現象，降低了運作效率，亦即加入分子一多，檢索時間就長了。3.當主電腦發生故障時，整個網路皆會受影響㉖。

二、分散式網路 (Decentralized Network)

在此網狀結構裡，每個分子間彼此都有聯繫，沒有任何一個是主要分子，大家都是對等的，亦即由具有相等地位而不同資源之會員組成，每個會員皆能直接利用其他會員的資源(見圖十一)㉗。此種網路每個節點至少都跟二個以上節點連在一起，因此系統的可靠度非常高。分散式電腦通訊網路的成敗是以其成本、運作、反應時間和可靠度來評估的㉘。

圖十一：分散網路

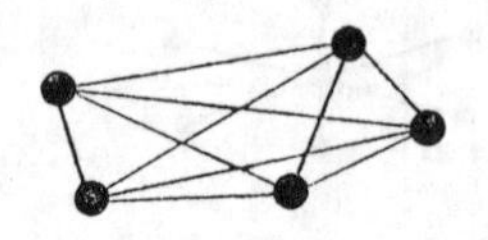

一九六八年美國館際互借法(National Interlibrary Loan Code of 1968)所支持的州際之間非正式的館際互借活動就是分散式網路的例子，每所圖書館皆能負責館際互借所需之資料，亦能選擇某些節點來處理各種需求。

三、環狀網路 (Ring)

如同分散式網路，環狀網路沒有中心處理點（見圖十二），但與分散式網路不同的地方在於其有次序的通訊或處理(Communication or Processing order)。其管理原則取決於它的構造，亦即對某一節點特殊需求的回應須根據協議後的政策而決定。如書目中心(Bibliographic Center)於確定每個節點所需要的資料後，即以中間者的姿態提供服務，將資料依序遞送至下一節點。

圖十二：環形傳遞網路

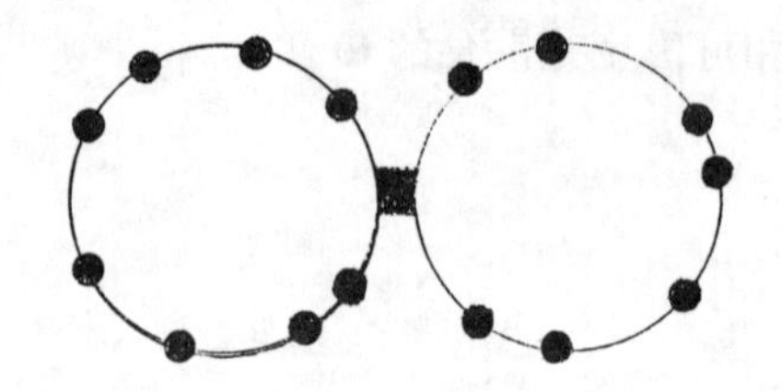

四、層次體系網路(Hierarchical Network)

此網路節點較少，較高的節點負有較大的責任及較豐富的館藏（見圖十三）。美國醫學圖書館(NLM-National Library of Medicine)的全國性網路即是此種網路最佳例子。其網路有四種層次，根據組織優先權或處理活動等標準而定㉙。

圖十三：**層次體系網路**

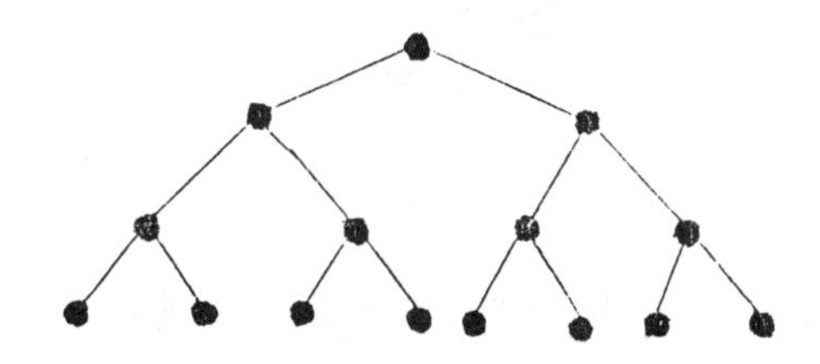

層次體系網路對資料的使用權有所限制。當下屬單位資源不足時,可向它所屬的更大資源中心索求㉚。亦即階層愈高，優先權愈大，花費也愈多；最低階層用資源的可能性很低。節點與節點之間的聯繫須靠通訊線路，每節點配設硬體裝置，大節點備有電腦，小的則置終端機，設計的目的在減少每個節點所需儲存的資料和通訊時間。

此外，尚有一種是分配集中制(Distributed Centralized Network)，又稱混合式資訊網(Composite Centralized)。因而分類時，有人區別為四種，也有人作五種。該網路係指每一附屬單位可獨立成一網路提供資源（見圖十四），是一折衷的辦法。此種網路之優點有二：一是彌補了分散式與集中式之缺點，減少部分「候時過久」的毛病，二是不須複製資料，重複收藏，而缺點則是：1.每個大點本身是集中式的核心，大點與大點之間須有高速通訊道。2.大點之間彼此對等，因此不易相互協調、控制，做有系統的合作。

圖十四：分配集中網路

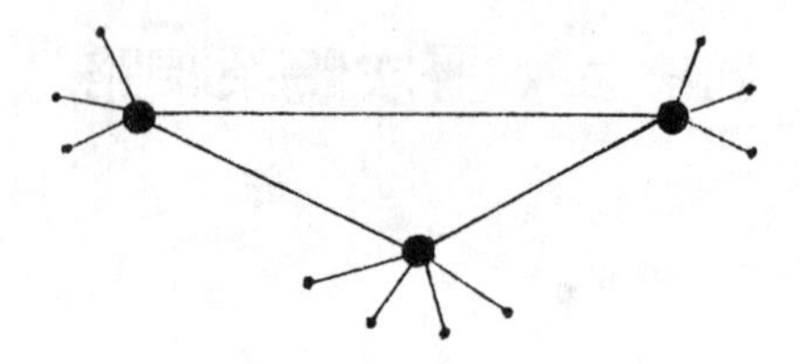

要之，圖書館本身的大小以及成長的速度是決定參加何種結構的決定因素。

笛加納瑞(De Gennaro)㉛曾指出許多大的圖書館網，已漸感到無法滿足各類型圖書館的需求，而容量及管理結構亦使其難於作技術性的改善。在選擇加入一個好的圖書館網組織之前，除了要認清目標、確定需求外，尚須有所評估㉜。

有關圖書館網之評估，通常包括下列幾項：1.反應時間：反應時間短，傳送資料多，則效果好。2.可信度：資訊傳輸的正確性。3.設備：包括電腦、終端機、專門人員、線路等，若重複多，花費也就愈高。4.資料庫的大小。5.檔案設計方式。6.軟硬體需求的規格。7.支援系統。8.通用性等。

第五節　我國圖書館網的現況及發展

有鑑於十多年前美國已有「圖書館及資訊資源規劃委員會」

之成立，民國六十九年的中國圖書館學會年會上曾有關於成立「全國資訊交流網規劃委員會」的提案，規劃的內容包括：

1. 訂定全國圖書資訊政策。

2. 責成全國圖書資訊發展重點之體系。

3. 設計因應各種不同需要的資訊系統。

4. 引進國外資訊系統的合作計畫。

經決議後，歸入「圖書館自動化規劃委員會」研討，自民國七十年起，中國圖書館學會開始「圖書館自動化作業規劃委員會」的籌設，其召集人分別為王振鵠館長及李德竹教授等，成立以來，先後有中國機讀編目格式(Chinese MARC Format)之設計，以及各種自動化作業計畫之實施，奠定了我國圖書館網發展的良好基礎，茲就其重要者敍述於后：

一、國家書目網路

國立中央圖書館書目資料庫自民國七十年開始建立，至今完成的資料，計 340,739 筆（見圖十五），其中以期刊論文為最多，共有 125,658 筆，佔 36.9％，其次為中文書刊，計 114,090 筆，佔 33.5％，其次則有西文書刊，46,425 筆，佔 13.6％，中文政府公報索引，40,709 筆，佔 11.9％，而中國善本書最少，僅有 13,857 筆，佔 4％[33]。

要之，全國性書目資訊網之建立，是推動圖書館自動化之主力，亦是解決目前館際合作問題之關鍵。國立中央圖書館除了積極建立國家書目資料庫外，亦將引進國外西文書目資料庫，加速國家書目資料庫之推展。

圖十五：國立中央圖書館書目資料庫

（截至民國七十七年十月止）

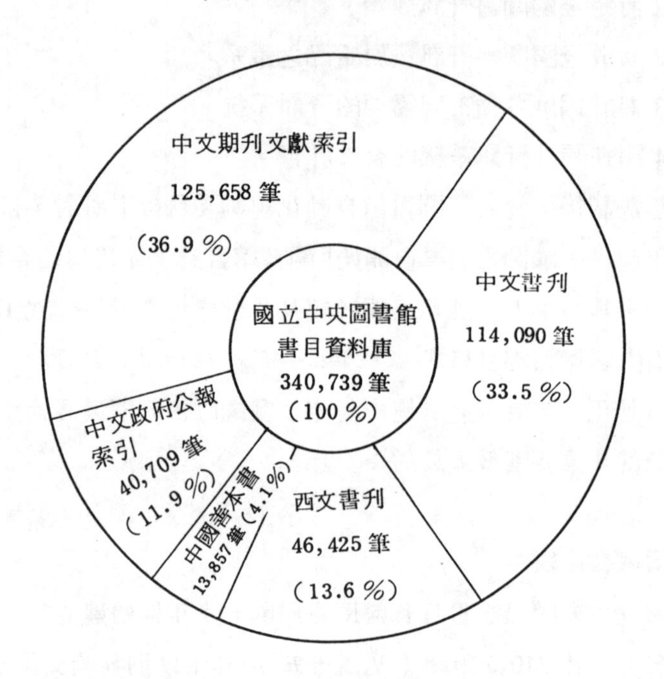

來源：胡歐蘭，「國家書目資料庫及其資訊網之發展」圖書館學與資訊科學，第十四卷，第二期（民國 77 年 10 月），頁 198。

二、學術圖書館合作編目

民國七十六年，國立中央圖書館邀請台灣地區十六所國立大學及學院圖書館館長暨編目有關負責人員，共商合作編目建檔之計畫及可行方案。會中通過「學術圖書館合作編目建檔暫行辦法」，各學術圖書館基於「合作互惠」之原則，進行合作編目建檔工作。

經過一年的測試，暫告一個段落，由於各館編目工作人員的素質不一，再加上電腦設備的不足，以及分工的原則不甚明確，未能達到預期的功效。

三、國立大學院校圖書館發展計畫

民國七十二年五月教育部爲發展「大專院校行政電腦化」的工作，曾召集十四個單位共同研商，結果決議將工作分爲:學籍、課程、人事、財務、設備與圖書資訊等六大系統，其中圖書資訊部分係由台灣大學圖書館任召集人。民國七十六年三月十九日，教育部與台大（召集人）、政大（副召集人）、中山、交大、成大、清大等六校圖書館所組成的推動小組正式簽約，正式委託進行「國立大學院校圖書館發展計畫」提報之事項。

此計畫之任務有下：

1. 提出國立大學院校圖書館自動化共同需求——參照國立中央圖書館已製成之中文書資料自動化作業標準及規格，並評估十五所學校已完成或正發展中之圖書館自動化作業系統，以此爲基礎，提出國立大學院校圖書館共同適用，且具互通性之自動化需求書。

2. 提出國立大學院校圖書館館藏需求及發展計畫書——評估各館館藏，據以作爲補充缺失或發展特色之藍圖。

3. 提出國立大學院校圖書館設備需求計畫書——評估各館現有設備，據以作爲擴充更新之籌劃。

4. 規劃國立大學院校圖書館相互合作之原則與辦法——擴大服務層面，豐富各校教學及研究資源，提昇國內高等教育品質。

四、科技性全國資訊網路（STICNET）

行政院國家科學委員會科學技術資料中心爲提供前瞻性的快速資訊服務，自民國七十五年初開始規劃科技性全國資訊網路，七十六年十二月奉行政院核准，並於七十七年十二月底完成第一階段設立工作，正式對外開放。

此一大型計畫的實施，除了研究人員可便捷的查詢國內外資料庫，並可促進國內研究資料之整合，使我國的資訊從創作、處理到傳遞服務，可以早日走向現代化。

此網路可查詢之資料庫有下：

㈠國內資料庫：

1. 國科會研究獎助費論文摘要資料庫。
2. 國科會研究計畫報告資料庫。
3. 全國西文科技期刊聯合目錄資料庫。
4. 全國西文科技圖書聯合目錄資料庫。
5. 中華民國科技期刊論文資料庫。
6. 進行中科技計畫摘要資料庫。
7. 中華民國科技研究報告摘要資料庫。
8. 科技簡訊與政策報導資料庫。

㈡國外資料庫：

1. BIOSIS PREVIEW（生物科學）。
2. CA SEARCH（化學摘要）。
3. COMPENDEX（工程）。

4. ERIC（教育研究）。

5. INSPEC（物理／計算機／控制）。

6. MEDLINE（醫學）。

7. NTIS（美國國家科技研究報告）。

第六節 發展方向

由於資訊的膨脹、出版品價錢的高昂，高等教育的擴展、物價的通貨膨脹，圖書館非但不能再獨立更生，自給自足，甚至比以前更相互依賴。圖書館網的發展也隨著科技的進步而有下列的趨勢：

一、分散式網路的增加

網路的結構有傾向分散式發展的現象。一方面由於採訪、連續性出版品的登錄、流通與館藏規劃等特殊功能較適合於地區性的發展，另方面則因爲小型電腦、微電腦等現代技術提供了成本效益的優點。阿夫拉莫(Avram)[34]與笛加納瑞(De Gennaro)[35]均認爲：一九八〇年代將再見到圖書館自動化回到地區性、獨立自主的趨勢。

二、光碟技術(Optical-Disk Technology)的普及

一九八二年八月，美國國會圖書館發表一項卡片分送服務(Catalog Distribation Service-CDS)需求系統，是第一個以光碟儲存圖像，以電訊傳眞品質之高清晰度雷射印刷方式複製圖像之

電腦化系統。同年十二月，又訂立了兩項光碟發展合同。伊文斯(Evans)[36]曾提及此項突破對圖書館發展的影響，就如同二十年前機讀編目格式一樣的深遠、廣大。

一片小的光碟片可以有 600 MB 的資料貯存量，目前美國有百分之九十九以上的大學圖書館備有個人電腦供讀者及專業人員使用，其中百分之五十五以上的大學圖書館備有光碟機供讀者查詢昂貴的「線上資料庫[37]」。目前上市的光碟資料庫類目繁多，包括：農業、化學、工程科學、法律、金融、生物醫學、太空科學及軍事等，其中圖書館專業人員可以利用的，就有二五種之多，佔所有類目的四分之一[38]。

三、圖書館網服務項目的擴充

圖書網的經營亦有研究發展(R & D Program)之規劃。OCLC一項革命性的發展，即是以譯碼器將地方公共圖書館系統的館藏與「美國學術百科全書(American Academic Encyclopedia)的原文，透過 Channel 2000 的試驗，傳輸給一般民衆。使用者只要按下鍵盤，就會出現卡片式的資料，據此可以找尋公共圖書館資料的書名、著者與標題目錄，亦能透過此系統，索取所需之圖書[39]。

四、文件傳輸與遠距離通訊(Document Delivery and Telecommunications)

圖書館網演變至今，已有許多支援組織的加入，如有些機構已有電子原件傳眞(electronic transmission)的設備。有些團體也嚐試以新的方法來結合現有技術。如全國圖書館遠距離通訊系統(National Library Telecommunications System)與人造衛星(satellite)或其他傳眞技術將提供新的服務。布朗(Brown)㊵曾預言新的地球與人造衛星通訊(terrestrial and satellite communication)將分別減低許多遠距離通訊的成本，打破國際疆界，使世界資訊網的系統早日重現。

五、區域網路在圖書館的應用

貝廷(P. Battin)將圖書館自動化分成三個時代：第一代是圖書館內部作業(Internal functions)的自動化，第二代是整合圖書館自動化系統，第三代是利用區域網路(LAN)之通訊和計算功能設置個人工作站(Workstation)㊶。

所謂「區域網路(LAN-Local Area Network)，是指「某一有限區域內某些特定的數據收／送運算機械以某種方式連接起來」㊷。通常是用某種特殊的數據傳送電纜連接起來，目前的情況則是一群個人電腦加上高容量硬式磁碟機。至於所連接的個人電腦數目，則從兩台到上千台不等。

區域網路的觀念之所以能夠在小型圖書館的自動化中應用，係因爲圖書館網較爲適合大型圖書館的作業㊸，而一些出納、期刊登錄、預算控制等性質的工作如以小型電腦來處理更爲經濟實用㊹。許多圖書館服務公司已進軍區域網路競爭的市場，圖書館界不乏區域網路成功的例子㊺。

六、不同系統之間的溝通

未來幾年中，無論國家性或國際性的網路系統，都將提供多元化的資訊服務，如聯合編目、館際互借、電子印刷等，經由電腦網路獲取不同系統之資訊產品。如美國的三大網路系統OCLC，RLIN和WLN一九八〇年起已進行系統連接計畫(Linked System Project)的研究，以期三個網路的使用者能彼此互通。

第七節　結　論

圖書館網的建立，標誌著一個國家圖書館事業的水平，圖書館網的發展，對圖書館的影響既遠且大，誠如蘭開斯特[46]所說的，未來圖書館員的生存空間將是傳統圖書館以外的地方。電腦和遠距離通訊對圖書館的影響有二：一是圖書館可以分享和交換現有的資料，二是可以獲取其他圖書館的資料庫。過去圖書館之間的藩籬已被打破了。新的需求也帶來新的挑戰，圖書館員須接受更多的訓練與教育[47]。

然而，圖書館網並不是解決圖書館問題的萬靈丹。它不能避免缺乏管理所引起的弊病，也不能取代貧瘠的資源。圖書館網的各會員館必須確定各館收藏重點，避免不必要的缺漏和重複，逐步建立地區性資源的完整體系。圖書館網固是幫助圖書館改善讀者服務的工具，然非其終極目標。圖書館網的設計必須審慎考慮圖書館服務的宗旨，再決定最適用的系統。

笛加納瑞(De Gennaro)曾指出[48]：圖書館網之建力乃在於以最低之成本，提供最佳之服務；如果有些功能較適合於地方性的需求，則不宜以圖書館網之方式來取代之。一般說來，圖書館業務適於加入圖書館網的基本條件是[49]：1.非地方性的；2.處理次數較多的；3.例行不變的；4.利用他館資料可以獲益的等。

總而言之，圖書館網就資源分享的層面來說，是「一建立全國圖書館和資料中心系統的過程」，也是「一個特殊目標的擬定[50]。」它的成功有待於館與館之間的協調與規劃。

除了館際合作、資源分享等功能外，圖書館網亦包含了特殊技術之交換，圖書館網的蓬勃發展使圖書館服務的功能更上一層樓，如今，人們可以說：任何一個資訊，只要有跡可循，便能在需要時於任何一個圖書館獲得[51]。

附 註

❶ Babara Markuson, "Library Network Planning: Problems to Consider, Decision to Make," *Network: International Communications in Library Automation* 2 (August-Sept. 1975): 7.

❷ Presentation at Western Information Network on Energy, August 4, 1981, Santa Fe, New Mexico.

❸ National Commission on Libraries and Information Science, *Toward a National Program for Library and information Services: Goals for Action* (Washington, D. C.: U.S. Superintendent, 1975), pp.82-88.

❹ Heartsill Young, ed, *The ALA Glossary of Library and Information Science* (Chicago: ALA, 1983), p.118.

❺ 同❹，頁131。

❻ Wilson Luquire, ed, *Library Networking: Current Problems and Future Prospects* (New York : Haworth Pr., 1983).

❼ R. C. Swank, "Interlibary Cooperation, Interlibrary Communications, and Information Networks-Explanations and Definition," in *Interlibrary Communications and Information Networks*, ed. Joseph Becker (Chicago: ALA , 1971), pp. 19-20.

❽ Norman D. Stevens, "Library Networks and Resource Sharing in the United States: An Historical and Philosophical Overview," *Journal of the American Society for Information Science* 31 (November 1980): 405.

❾ *Library of Congress Subject Headings*, 9th ed. (Washington, D.C. : Library of Congress, 1980), V.II, p.1329.

⑩ Susan K. Martin, *Library Networks 1978-79* (White Plains, New York: KIP, 1978), p.6.

⑪ 胡歐蘭，參考資訊服務（臺北市：臺灣學生書局，民國71年），頁294。

⑫ David C. Weber, "A Century of Cooperative Program Among Academic Libraries," *College & Research Libraries* 37 (May 1976) : 205-221.

⑬ 同⑩，頁5。

⑭ 張鼎鍾，圖書館學與資訊科學之探討（臺北市：臺灣學生書局，民國71年），頁81。

⑮ James G. Williams and Roger Flynn, "Network Topology : Functions of Existing Networks," in *The Structure and Governance of Library Networks*, ed. Allen Kent and Thomas J. Galvin (New York: Marcel Dekker, 1979), pp. 49-83.

⑯ 同⑮。

⑰ 林孟眞，我國資訊系統之建立與探討（臺北市：文史哲出版社，民國71年），頁28。

⑱ 黃世雄，現代圖書館系統綜論（臺北市：臺灣學生書局，民國74年），頁288。

⑲ Brett Butler, "The State of The Nation in Networking," *Journal of Library Automation* 8 (September 1975): 200-220.

⑳ 同⑲。

㉑ 陳同麗，「美國圖書館自動化的現況」，圖書館學講座專輯之三（高雄市：國立中山大學，民國74年）。

㉒ 同㉑，頁10-11。

㉓ Chris Hannah, "The Australian Bibiographic Network: an Introduction," *Information Technology and Libraries* 1 (September 1982): 222-230.

㉔ William B. Rouse and Sandra H. Rouse, *Management of*

Library Networks: Policy Analysis, Implementation and Control (New York: John Wiley & Sons, 1980), pp.15-51.

㉕ Allen Kent, "Crystal Gazing into the Future," *Journal of Library Automation* 11 (December 1978): 334.

㉖ Allen Kent & Thomas J. Galvin, *The Structure and Governance of Library Networks* (New York: Marcel Dekker, 1979), p.55.

㉗ 同㉕，頁335。

㉘ 同㉖。

㉙ 同㉕。

㉚ 同㉖。

㉛ Richard De Gennaro, "Library Automation and Networking: Perspectives on Three Decades," *Library Journal* 108 (April 1, 1983): 629-635.

㉜ *Librarian's Handbook for Costing Network Services* (Boulder, Colo.: Western Interstate Commission for Higher Education, 1976).

㉝ 胡歐蘭，「國家書目資料庫及其資訊網之發展」，圖書館學與資訊科學，第十四卷第二期（民國77年10月），頁193-207。

㉞ Henriette Avram, "Barries: Facing the Problems," *The Journal of Academic Librarianship* 10 (May 1984): 64-68.

㉟ Richard DeGennaro, "Computer Network Systems: The Impact of Technology on Cooperative Interlending in the USA," *Interlending Review* 9 (1981): 39.

㊱ Glyn Tecwyn Evans, "Library Networking in the United States, 1983", p.58.

㊲ 黃德美，「綜論CD ROM光碟資料庫」，圖書館學與資訊科學，十四卷一期（民國77年4月），頁89。

㊳ 同㊲，頁90。

㊴ Glyn Evans, "Library Networks," *Annual Review of Information Science and Technology* 16 (1981): 214.

㊵ 同⑥，頁 73-86。

㊶ Patricia Battin, "National and International Perspectives," presented at the Library and Information Resources for the Northwest (LIRN) Advisory Committee Meeting of July 31, 1984.

㊷ 于竟成，“您的辦公室需要區域網路(Local Area Network)嗎？”○與1科技69（民國76年1月），頁161。

㊸ Susan Martin, *Library Networks, 1981 - 82* (White Plains , New York: KIP, 1981), p.1.

㊹ Rick C. Farr, "The Local Area Network (LAN) and Library Automation," *Library Journal* (November 15, 1983): 2130-2132.

㊺ Gail Presky et al, "A Geac Local Area Network for the Bobst Library," *Library Hi - Tech* 6 (1985): 37-45.

㊻ Wilfrid Lancaster, "The Future of the Libraries Lies Outside the Library," *Catholic Library World* 51 (April 1980): 388-91.

㊼ 同㊸。

㊽ 同㉟。

㊾ 同㉝。

㊿ Kigongo-Bulenya, *Resource Sharing of Libraries in Developing Countries: The Case for Library Networking* (Belgium: s.n., 1977).

(51) Michael Carmel, "Beyond Networking," *International Library Review* 13 (July 1981): 231-243.

第七章　大學圖書館員的培育

第一節　前　言

做爲大學的心臟，人們應如何來衡量一所大學圖書館的健全與否？有人以爲藏書的多寡是最重要的關鍵，有人認爲館舍的宏偉、設備的新穎是先決的要素。但圖書館界的先進唐斯（R. E. Downs）卻強調工作人員的素質才是最重要的❶，因爲沒有健全的圖書館員，就沒有健全的圖書館。

只是，長久以來，人們對圖書館員的觀念始終停留在「織毛線衣的小老太婆」的刻板印象。民國七十七年八月間一項對大學生的調查報告甚至指出：一百五十六種行業中，圖書館員的地位屈居第八十六名，遠在「空中小姐」、「教官」、「家庭主婦」之後❷。由於專業知識的缺乏，學科背景的不足，大學圖書館員在教授、學生心目中的地位一直都非常卑微。

圖書館是一切學習的基礎，保存和傳播知識的地方，也是創造新知識不可或缺的一部分。其完善與否將直接影響學問的廣博和研究的精深。在學術發展日趨專精的今天，大學圖書館是一個專業性越來越強的服務機構，業務一定要由受過專業訓練的人負責，才能勝任。有鑑於此，本章試著從「學科專家」的理念、大學圖書館員的專業性，談大學圖書館員的培育，以期大學圖書館在今後的教學與研究上能扮演更重要的角色。

第二節　學科專家的定義

學科專家（subject specialist）一詞，在不同的圖書館有不同的稱謂。有的名為學科專業館員（subject librarian），有的稱學科目錄學者（subject bibliographer），更有人冠以「協調聯絡人（liaison officers）」，「學科專長助理（subject assistants）」或「聯絡館員（liaison librarians）等頭銜❸。

簡單的說，所謂學科專家就是在特定的學科領域裡負責所有有關圖書館業務的圖書館員。霍爾布魯克（A. Holbrook）對這個定義曾作如下的描述：「這種學科領域也許是非常狹窄的，但大體上與大學的系科、專業相呼應。學科專家的任務在就各自的學科專長開展服務工作，盡可能提高該領域圖書資料的利用率等。學科專家通常具有專門學科的學位，和圖書館學的基本訓練❹。」

史密斯（E. Smith）對學科專家一詞作了如下的補充說明：「是某一知識領域的行家，以其書目專長對讀者提供必要和深入的服務❺」。在大學圖書館裡，這些服務包括：⑴發展館藏；⑵有效的幫助讀者最大限度地利用藏書；⑶參與書目控制的研究工作等。為了完成上述的服務工作，學科專家必須了解所有讀者的需求，掌握相關領域的書目訊息以及研究動向，並深入探討圖書館業務的可能性和局限性❻。所以哈羅（R.P. Haro）說「眞正有能力的學科專家並不只是簡單的選書人員而已，他是高級的參考館員、研究人員，教人利用圖書館的指導者；他是圖書館與各系之間的中介調節人和學生之友❼。」

第三節　學科專家之起源

學科專家興起的歷史甚為短暫，一九四〇年代晚期，英國學術圖書館中首先有學科專家制度的是國家圖書館和牛津、劍橋等大學圖書館❽。在美國方面，印第安那大學圖書館於一九六三年開始有組織的選置具有圖書館學訓練，但對其他學科亦有深切認識的人員負責選書及參考服務的工作❾。

學科專家早期係由實際的需要產生的，如日本研究、拉丁美洲文學等區域研究（Area Study）確實得借助專業人才的語文能力，以解決編目上的困擾❿，至今已演變成採錄，參考等方面亦須仰仗學科專家的幫忙。造成這個現象的原因有二：一是由於科技的突飛猛進，學術的分歧日益精細，教授們在出版研究的壓力下，已不再有時間或興趣幫圖書館選書⓫；二是人們對圖書館的觀念已經由昔日的藏書樓變為多元化的資訊中心，迫於需要，也為了提供更好的服務，學科專家遂應運而生⓬。

此外，美國的大學圖書館，早期均由教授們推薦圖書，但後來發現如此建立的館藏缺乏完整性⓭，一九六〇年代以後，選書的責任遂慢慢轉移到圖書館員身上。墨敍爾（P.H. Mosher）聲稱這是美國圖書館事業專業化的一個里程碑⓮。尤其在匹茲堡大學的一項研究指出百分之四十的圖書於購進的六年之內不曾被動用過後，更引起人們質疑由教授選書是否具有最大的經濟效益⓯？以及教授們是否會因本位主義而有「以偏概全」的現象⓰？

專科專家的功能是多重的，丹頓（Danton）特別強調其在圖書館藏發展中所扮演的角色⓱，法迪南（Fadiran）則認爲讀者服務方面的貢獻，更爲重要⓲。綜而言之，學科專家制度建立的目的有四：

1.讓一個館員負責一個專門領域，可以提高服務的品質。由於有分類工作的實際參與，更能洞悉每一個資料的存放處；而對書目的掌握、索引工具書的熟悉更可幫助讀者查檢資料，增加圖書館的使用率⓳。

2.由於學有專精，具有專門學科的基本訓練，所以對圖書分類號的選擇更具判斷力，更能符合讀者的需求。

3.由於與所負責科系的教授有頻繁的接觸、密切的溝通，使得讀者因了解從而對圖書館更具信心⓴。

4.綜合選書、分類編目、參考諮詢的角色於一身，打破傳統圖書館的組織分工方式，使得館員在職能的水平分化上（horizontal divison）也能求得縱深的整合（Vertical integration）㉑。

第四節　學科專家的職責及其對圖書館所造成的衝擊

一般說來，學科專家除了要掌握其所負責領域的學科文獻外，亦須參與各系（所）的系（所）務會議和擔任部分教學工作。其次，要從事該學科的出版品研究，尤其是書目資料的蒐集和編纂。其主要職責如下：

㈠熟諳某一學科之書目結構、出版情形。

㈡對圖書館學的理論和實務有通盤的掌握。

三、對大學的教學課程和研究計畫有深入的了解。

四、制定館藏發展政策，展現選書方面的長才，對教授具有說服力及影響力㉒。

五、協調全校性的館藏發展，並時時維護，評估館藏㉓。

六、代表圖書館與系所有密切的聯繫，做一個成功的中介人㉔。

七、教導學生使用圖書館，推展參考諮詢的工作。

八、控制預算。

九、負責館際合作及交換、贈送之業務。

誠如羅培茲(Lopez)所言，成熟、經驗、敏銳的判斷力，學術素養和學科背景的專業訓練，是學科專家的基本特質和要求㉕。

學科專家設置的立意雖然很好，在歐美各國的實踐，也頗獲好評，但對圖書館原有的組織型態、行政體系卻造成很大的困擾和挑戰，茲分析如下：

1.與技術服務部門的衝突是難免的現象，由於立場的不同，常造成類號的選擇有不一致的情形㉖。而在採錄工作的流程裡，學科專家的「優先服務」常予人有特權階級的感覺。

2.學科專家的分工與獨立作業或多或少影響了中央、集權管理的作業效率，如人員的訓練、訂單的製作與處理中訂購檔案的維護等常有重疊的現象，而活動空間的分配亦有困難㉗。

3.學科專家的服務是深入、瑣細的，特別注重質的表現，也因此無法量化，主管階層從事評鑑時很難有一定的標準㉘，客觀的論定。

要之，學科專家的設立，固然帶來許多問題，也是一個昂貴的代價，但卻是任何一所大學圖書館在提昇「質的功能」時所必須勠力以赴的目標。圖書館學文獻證明：學科專家的設置非僅適用於大型圖書館，亦普遍應用於中、小型圖書館㉙，非但已開發的國家普遍採行，開發中的國家亦紛紛跟進㉚。雖然，近年來一些代理商有「選書查看採購方式」(Approval plan)的服務，但不能據此取代學科專家的判斷能力㉛。史密斯特別強調：學科專家的存在是大學圖書館館享有專業能力和崇高學術地位的表徵㉜。

第五節　大學圖書館員的專業性

圖書館系統內，含有兩個大的複合結構：一是人，能動的智能結構；二是書，靜態的知識體系，前者是館員的「知識素養」，後者是「館藏」，如何將兩者配對，是館員最大的挑戰。也惟有兩者的密切結合，才能創造「知識的銀行，學問的水庫」，符合大學圖書館的眞正理念。

根據「社會科學字典(Dictionary of Social Science)的解釋，「專業」一詞，係指「凡是一種行業，需要高度專門化之知識暨技術背景，於執業時能充分擔任指導及迎合有關高度技術性問題之需求㉝。」大學圖書館的工作是否具有專業性呢？例如採購圖書，看起來工作簡單，但是如果不知道如何使用工具書，不諳各種外國語文，不懂得學術的範疇，不能辨別書刊的內容與版本品質，不明白讀者的閱讀心理、學術活動的研究動向，不熟悉出版行情，不會辦理計畫預算和處理帳目，就不可能把採購圖書的工作做好。是故，大學圖書館館員的專業性不可謂不高。

更有甚者，如分類編目、閱讀指導、參考諮詢、善本書的維護，連續性出版品的處理以及微縮資料的製作，資料庫的線上檢索等等都牽涉到許多專門學識。況行政管理，圖書館建築，以及社區成人教育等的推廣活動更需特殊的才能，這都不是一年半載所能達成的。因此，擔任此項工作的館員須有專業性的高深知識。

日後，當人們提到「圖書館」時，將馬上與計算機、數據庫和許多非書資料等概念和事物聯繫起來，而不是今天的書架和書。未來圖書館的工作重點也將從以圖書爲主變爲以各種形式出現的資訊爲主。這一切勢必會影響圖書館員傳統教育的方法和手段，所以未來圖書館員必將具有與現在完全不同的知識結構和思維方式。人們可以預言：未來圖書館需要的是更深入的圖書館服務，合格的專業人員——有某一學科高深的知識和專門的圖書館及資訊的技術。

大部分的未來觀察家，都認爲圖書館員的重要性將隨著新資訊時代(New Information Age)的來臨而逐漸增加。有人預言在電子社會(electronic society)中，圖書資訊專家將是最有價值的人，一般說來，圖書館員未來的角色扮演有以下幾種㉞：

1. 資訊專家(Information Specialist)：

出版品泛濫後，人們將更難有效掌握資訊，因而必須仰賴圖書館員的幫忙，以得知獲取資訊的最佳途徑。圖書館員將成爲資訊中介人員、資訊管理及協調人員。

2. 資訊工程師(Information Engineer)

隨著資料庫的增加，圖書館將需要一批資訊系統專家，具有電腦及通訊技術知識，知道如何設計、檢索系統。

3. 資訊科學家（Information Scientist）

除了教導讀者線上檢索（On-line Retrieval）的技術外，亦提供新知選粹服務（Selected Dissemination of Information），教導人們如何建立個人檔案。

誠如威爾遜（Wilson）所強調的，將來的圖書館學教育將趨向多元化，綜合化的發展。可以預料，隨著圖書資訊系統朝向多樣化的發展，未來的資訊服務（Information services）將需要更多的對某些專業有特殊才能的人員㉟。

第六節　大學圖書館員的培育

處於資訊社會的今天，由於科技的變革，以及出版品的遽增，如何蒐集、選擇、整理與檢索各種學術性的圖書資料，使教學與研究更爲成功、有效，已非目前普通的圖書館員所能獨力擔負㊱。在技術發展的新紀元裡，如果想要繼續發揮圖書館員特有的功能——將人和資料結合在一起㊲，館員除了要加強訊息傳播技術的技能外，更要鑽研一種專門學科的理論。

戴維斯（Davis）指出未來的大學圖書館員應具備下列的能力：

1. 能夠知悉並配合本校及鄰近學校的中長程發展計畫。

2. 經由「圖書館利用指導」，宣導使用圖書館的技巧，以鼓勵全校師生對館藏的運用，以及對藏書建設的參與。

3. 透過「館際合作」對館藏發展有長期穩健的規劃。

4. 掌握每一學科的特殊研究方法，最新發展趨勢。

5. 注意出版情形，做好書目控制的工作㊳。

美國大學的專業圖書館員大都是於完成大學教育後，再進入圖書館學研究所攻讀碩士學位，所修習的課程，除了圖書館學的理論、實務技術課程外，亦有針對未來就業興趣、方向而加強的專業訓練。反觀我國，目前國內圖書館專業人員的訓練，除了台灣大學圖書館學研究所、文化大學史學研究所圖書博物館組外，還停留在大學制，在大學本科造就，一如美國一九二〇年代的作法。誠如嚴文郁先生所言：此種訓練所造就的人員只有圖書館的技術訓練，沒有其他任何專門學科的根基，在學術界與大學圖書館工作會困難重重，並受人輕視㊴。

在「談台灣大專圖書館專業人員的培養」一文裡，范承源教授亦指出我國大學圖書館的經營始終面臨「先天不足，後天失調」的困難㊵。除了經費不足外，人事方面的缺失是最大的問題，一方面非專業人員的比例太大；另一方面所謂的「專業人員」亦僅是大學圖書館學科系的畢業生，實無法勝任館藏發展、諮詢服務的艱深工作。也因此，多年來國內圖書館界一直有「將圖書館教育提昇至研究所階段」的呼聲，一方面培養高級專業人才，提昇從業人員的地位，以改善圖書館服務的品質；另一方面也是順應歐美先進國家的趨勢，兼以增進圖書館學的研究發展㊶。

截至民國七十七年止，國立台灣大學圖書研究所錄取、報到的人數共七三人，除了六名外籍人士及四三名圖書館學畢業的學生外，有來自中文、外文、歷史、政治、經濟、法律、外交、物理、化學、地球物理、地質、化工、農經、農藝等背景（見下表）的人才，這批生力軍將可以帶動國內大學圖書館的新氣象。

至於目前一般圖書館科系的畢業生而言，雖然具備專業人員

表十五　國立臺灣大學圖書館學研究所招收學生學科背景統計表(69-77年)

年度	國別		錄取人數	大學系別															報到人數	備註
	本國	外國		圖館	中文	歷史	外文	政治	經濟	法律	外交	物理	化學	地球物理	地質	化工	農經	農藝		
69	5		5	4＋(1)															4	1.（ ）表未報到。 2. * 表休學者。 3. 77年度一人未報到，背景不知。 4. 政大行專屬政治系。 5. 外國共6人（美國1人，韓國5人）。
70	5	1	6	5＋(1)															5	
71	8		8	4	2				1		1*								7	
72	8		8	4＋1*	1							2							7	
73	11	2	13	6＋1*＋(1)	2					1					1		1		11	
74	10		10	3＋(1)	2					2				2					9	
75	11	1	12	5＋(1)		2		1		(1)					1	1			10	
76	10	1	11	4＋1*	1	1		1		1			(1)					1	9	
77	11	1	12	8	1		1	1											11	
錄取人數	79	6	85	51	9	3	1	3	1	5	1	2	1	2	2	1	1	1		
報到人數	67	6		43	9	3	1	3	1	4	0	2	0	2	2	1	1	1	73	

資料來源：臺大圖書館學系提供參考數據。

的基本資格，但由於在校所學或偏重理論或過於廣泛，而且缺少實際的工作經驗，如欲成爲一稱職的大學圖書館專業人員，就必須加強「在職訓練」與「繼續教育」㊷，有系統的選修課程，加強自我學習，除了參與中國圖書館學會所舉辦的活動外，必須隨時閱讀學術性的刊物。

第七節　建議事項

一、提高圖書館員的基本素養

學科專家應該大量閱讀有關大學教育方面的文獻資料㊸。對師生進行調查，努力掌握本校師生的閱讀習慣與潛在需求。此外，在專業方面必須注意：1.對出版業的掌握，如對「中華民國出版年鑑」、「國立中央圖書館新書選目」、「書目季刊」等書目工具有一定的認識和了解；2.擬定館藏發展政策，對資料的收集有優先次序，並謀求平衡的藏書結構。

二、鑽研特定的學科領域

每個圖書館員不僅要掌握學科知識，而且應該了解每個學科領域的書目、資訊流通、利用情況等，並把它們組織起來，使之成爲有用的學識，而能自如地操作與利用。只有這樣，圖書館才能獲得獨立的地位。

三、培養圖書館員的哲學理念

如果圖書館員都能秉持哲學的信念，崇高的價值判斷，圖書館的經營將更有趣、更有意義。惟有使命感的培養，才能引導圖書館的方向，建立服務的目標。圖書館學的哲學理念可以透過「圖書館利用指導」，人文精神教育表達。圖書館員是觀念、知識和資訊的中介人，追求眞理的過程中，圖書館員詮釋了人們求知的精神，對「求知權利」的擁護也是圖書館學形而上學的表徵。有了這樣的價值觀，可以開拓我們的視野，也提昇了我們服務的意願㊹。有關圖書館業服務哲學的研究，固然是爲獲取他人的瞭解、信任與尊重，更是爲了認清自己，以確定本身所扮演的角色和進退之道。

第八節　結　論

圖書館性質、服務內容和方法的改變，必然引起人員結構的變化，意指圖書館學、資訊科學、書目學等專業人員和其他學科專家的結合。這些學科專家是圖書館的專業館員，承擔圖書館的專門學科選書、文獻檢索和參考諮詢等方面的工作。在電子大學(electronic university)的趨勢下，大學圖書館員的教育目標，應爲訓練成一夠格的「資訊專家(information specialist)」，以促使傳統圖書館型態配合時代早日轉型，進入自動化、電子化的服務型態㊺。

巴爾札克有言：「這世界屬於我，因爲我瞭解它。」圖書館員的工作，不該是等閒的職業，而是值得終身致力的專業。其工作內容，也不止於資料的保存與傳播，更要加以研討和詮釋。圖書館員欲在社會上發揮傳播的作用，不僅要處理圖書的外表物質狀態，更必須掌握圖書的內容。所謂「館藏資料」指的應是「對人類最具重大意義的知識」，「文明的記錄」，也是「人類賴以溝通心意的一切可能方式」。因此，在做圖書館員之前，須學習特定的學問，了解獲得、生產和積累知識的方法與研究技巧，藉以提高圖書館員的基本素養。

穿梭於人與書之間，要有社會學家洞察幽微的終極關懷，也要有經濟學家玲瓏剔透的高瞻遠矚。做爲一個大學圖書館的館員，悠游於學術的瀚海之中，在「覽古今于頃刻，攬四海於一瞬」之餘，除了要有「乾坤萬里眼，時序百年心」的胸襟外，更要有「把金針渡予人」的熱忱。「人生有夢，築夢踏實」，學科專家的理念，對大學圖書館員而言，是一個「浪漫的憧憬」，也是一個「嚴肅的課題」。

附　註

❶ Robert E. Downs, "Are College and University Librarians Academic ? " in A.L.A. - A.C.R.L. Monograph 22: The Status of American College and University Librarians, 1958.

❷ 聯合晚報，民國七十七年八月二十日。

❸ P.A. Woodhead & J.V. Martin, "Subject Specialization in British University Libraries: A Survey," *Journal of Librarianship* 14 (April 1982): 97.

❹ A. Holbrook, "The Subject Specialist in Polytechnic Libraries," *New Library World* 73: p.393. as quoted by Ann Coppin," The Subject Specialist in The Academic Library Staff," *Libri* 24 (1974), p.123.

❺ Eldred Smith, "The Impact of the Subject Specialist Librarian on the Organization and Structure of the Academic Research Library," in *The Academic Library*, ed. by Evan Ira Farber and Ruth Wallig (Metuchen, N.J. : Scarecrow Pr., 1974), p.71.

❻ 同❺。

❼ Robert P. Haro, "The Bibliographer in The Academic Library," *Library Resources & Technical Services* 13 (Spring 1969): 163-74.

❽ 同❸，頁 95。

❾ 傅寶眞，「學科專家在蛻變中之大學圖書館」，國立中央圖書館館刊，新八卷，第二期（民國 64 年），頁1。

❿ 同❸，頁 96。

⓫ J. Periam Danton, "The Subject Specialist in National and University Libraries, with Special Reference to

Book Selection," *Libri* 17 (1967): 47.

⓬ 同❸，頁 95。

⓭ 同⓫，頁 27。

⓮ Paul H. Mosher, "Collection Evaluation in Research Libraries: The Search for Quality, Consistency, and System in Collection Development," *Library Resources & Technical Services* 23 (Winter 1979): 20-32.

⓯ Alan Kent and Others, *Use of Library Materials: The University of Pittsburgh Study* (New York: Dekker, 1979).

⓰ Samuel B. Bandara, "Subject Specialist in University Libraries in Developing Countries: The Need," *Libri* 36 (September 1986): 207-208.

⓱ 同⓫。

⓲ D. O. Fadiran, "Subject Specialization in Academic Libraries," *International Library Review* 14 (January 1982): 45.

⓳ 同⓲，頁 41。

⓴ 同⓳。

㉑ W.L. Guttsman, "'Learned' Librarians and the Structure of Academic Libraries," *Libri* 15 (1965): 161.

㉒ 同⓰，頁 208。

㉓ University of Texas at Austin, General Libraries, Bibliographers, Manual: A Guide to the General Libraries, Collection Development Program (Austin: General Libraries, University of Texas at Austin, 1982).

㉔ Frederic M. Messick, "Subject Specialist in Smaller Academic Libraries," *Library Resources & Technical Services* 21 (Fall 1977): 372.

㉕ Manuel D. Lopez, "A Guide for Beginning Bibliographers," *Library Resources & Technical Services* 13 (Fall 1969): 470.

㉖ 同⑱，頁 42。

㉗ W. L. Guttsman, "Subject Specialization in Academic Libraries: Some Preliminary Observations on Role Conflict and Organizational Stress," *Journal of Librarianship* 5 (January 1973): 7.

㉘ 同❷，頁 17。

㉙ 同㉔。

㉚ 同⑯。

㉛ Dennis W. Dickinson, "Subject Specialist in Academic Libraries: The Once and Future Dinosaurs," *New Horizons for Academic Libraries*, papers presented at the First National Conference of the Association of College and Research Libraries, Boston, Nov. 8-11, 1978, ed. Robert D. Stueart and Richard D. Johnson (New York: K.G. Saur, 1979), p.10.

㉜ 同❺，頁 81。

㉝ John T. Zadrozny, *Dictionary of Social Science* (Washington, D. C. : Public Affairs Pr. 1959), p.265.

㉞ 邱玉芬，“資訊專業人員”，書府，第九期（民國77年），頁92-93。

㉟ Pauline Wilson, "Impending Change in Library Education : Implications for Planning," *Journal of Education for Librarianship* 18 (Winter 1978): 159-174.

㊱ 傅寶眞，「學術與研究圖書館在研究與教學上所應扮演的新角色——學科專家的探討」，中國圖書館學會會報，三十七期（民國 74 年），頁 63。

㊲ Ernest Cushing Richardson, "The Book and the Person Who knows the Book," *ALA Bulletin* (October 1927): 290.

㊳ Roger Davis, "The Compleat Collection Developer," *The New Horizons for Academic Libraies*. Papers presented at the First National Conference of the Association of

College and Research Libraries, Boston, Nov. 8-11, 1978 ed. Robert D. Stueart and Richard D. Johnson (New York: K. G. Saur, 1979).

㊴ 嚴文郁先生圖書館學論文集　（臺北縣：輔仁大學圖書館學系，民國72年），頁238。

㊵ 范承源，「談臺灣大專圖書館專業人員的培養」，國立臺灣大學圖書館學系成立廿週年紀念特刊（臺北市：國立臺灣大學圖書館學系編印，民國70年）。

㊶ George W. Whitbeck, "Comparative Study of Education for Librarianship and Information Science in the Republic of China and North America: A Survey," *Journal of Library and Information Science* 10 (April 1984): 40-62.

㊷ 同㊵。

㊸ Norman D. Stevens, "Current Periodicals in Higher Education: A Review Article," *The Journal of Academic Librarianship* 5 (January 1980): 335.

㊹ Michael O. Engle, "Librarianship as Calling: The Philosophy of College Librarianship," *The Journal of Academic Librarianship* 12 (March 1986): 30-32.

㊺ 林秋燕，「資訊時代中圖書館員的歸趨」，書府，第八期（民國76年），頁109。

第八章　圖書館員的繼續教育

第一節　緒　論

一八〇九年時，歌德（Goethe）就曾經說過：「今日沒有任何一樣東西能夠學習而終生受用，我們的曾祖父們可以仰賴學校所學而一生受用，我們卻必須每五年重新學習新知，才不會被時間淘汰❶。」誠如圖書館學專家所強調：「圖書館是一個有生命的有機體，」圖書館既然是有生命的，就必須學習適應環境，而且要不斷成長。

一九八〇年十月在一項有關圖書館學教育的研討會上，美國研究圖書館協會(American Research Libraries)的館長曾票選出當今從事圖書館工作所需要的十九種能力(competencies)，其中有十一種是不屬於傳統圖書館學的課程。換句話說，有一半以上的課程是傳統圖書館學課程所沒有的❷。早期，大學四年的教育或許可終生受用不盡，但今日圖書館學研究所的訓練卻只能前瞻五年❸。

由於圖書館傳統觀念的改變，我國圖書館學教育正面臨如何由傳統過渡到現代的難題。經濟的成長、社會的變遷、知識的累積，再加上科學的進步，使得館員的繼續教育成爲今日圖書館界一項重要的課題。基礎的專業教育，在資訊科技的衝擊下，無論它多麼新穎，終不是館員未來生涯中惟一而適當的準備❹。誠如奈斯比(John Naisibitt)所言：在這急遽變遷的資訊時代裡，一個人不能期望終身可從事同一工作或專業，爲了應付各種變遷，我們必須不斷地接受訓練❺。

時代潮流不停地在變動，圖書館已由靜態的藏書樓轉變爲動態的資訊中心,館員的職責也隨著服務項目的多元化而日漸加重。一個現代化的圖書館員，爲了能更有效地替讀者服務，須要學習許多新觀念、新技術，如果沒有繼續教育的充實，將很難適應時代的需求，尤其是圖書館自動化的趨勢帶來了圖書館革命性的發展，也加深了圖書館人員再教育的必要性❻。

第二節　繼續教育的定義與範疇

一、定　義

名教育家侯勒(Houle)對「繼續教育」一詞有如下的說法：「在相同的知識領域內，對已有經驗的擴展或重建的一種學習，其目的並不是對這一知識領域中所有學習做一完結，而是意味著學習者對已往所修習之內容作繼續不斷地努力鑽研❼。」易言之，繼續教育是一種態度，一種持續的過程。它是有計畫、有系統的學習活動，目的在使館員永遠保持新的觀念、新的知識，並使技術不落人後❽。

尼爾（Neal）認爲繼續教育具有下列幾個特質❾：

1 意涵終身學習的觀念是應付高科技挑戰所不可或缺的。

2. 使個人所受的基礎教育能夠與時並進。

3. 提供多元化的機會，為未來的工作做準備。

4. 充實專業的能力，完成社會所付予的任務。

5. 體現個人對自我發展的期許。

隨著教育理論的演變和專業的發展，圖書館學教育也有不同的內涵。處於這急遽變化的時代，「不進則退」，為使館員知識能成長、圖書館事業得以生存，非賴有系統的繼續教育不可❿。

二、範　疇

圖書館繼續教育包括所有正式和非正式的學習活動來提昇知識、態度、能力和專長，以提供良好品質的服務，並使圖書館工作生涯更豐富⓫。繼續教育 (Continuing Education) 與人員發展 (Staff Development)、在職訓練 (In - Service Training) 等名詞常為人混為一談。三者雖有相似之處，但其目的、內容和方法有層次上的不同。

所謂「在職訓練」係由在職機構就個人在特定職務上必須具備的能力所提供的訓練或教育課程；目的在增加個人在特定職位上的能力。訓練內容則視職務而定，可能包括圖書館各部門工作的介紹、相關設備之使用說明、人際溝通等。此種訓練主要是行政主管的責任⓬。

而人員發展則在鼓勵組織內人力資源的成長，增強組織的能力 (capability) ，以期更有效率地達成圖書館的目標，內容多與現在職務或未來職責相關；其規劃與實施乃行政主管的職責；方法包括對新進人員的指導、工作擴充(job enrichment)、短期管理技巧課程、視聽器材的使用及在職訓練⓭。

「再教育」與「繼續教育」二名詞通常互為通用，其範圍較廣，著重個人之成長與發展。目前國內圖書館界所推行的繼續教育，指的是館員參加館內外舉辦與圖書館學或實際工作相關的正式活動。其項目包括修習學位、選修或旁聽課程、參加研討會、參與研究計畫、發表論著、聽演講、閱讀書刊等各種活動。學習的內容包括未來影響圖書館服務的各種科技、觀念，其特點是目前與未來並重，館員與圖書館共同成長。

繼續教育、人員成長以及在職訓練三者雖不盡相同，但基於圖書館行政的立場，應讓館員經由繼續教育的訓練，收到在職訓練的效果，進而達成人員成長的目的和圖書館組織全面的發展。如果密切配合、運用得宜，可以整合外界的訓練與內在的發展為一體，將圖書館員塑造成「致廣大而盡精微，極高明而道中庸」的快樂工作者⓮。

第三節　繼續教育的重要性與目的

一、繼續教育的重要性

館員的繼續教育之所以日趨重要，其原因可以歸納如下：

㈠新技術的日新月異

科技的快速發展，使得圖書館的作業程序和方法，必須跟進更新，圖書館員也因此必須學習新的技術和新的專業知識，才能勝任目前的工作。

(二)知識的成長累積

隨著知識的擴展，分工日益精細，讀者對於服務的需求越來越複雜，圖書館的作業範圍漸趨擴大，工作人員再也無法憑藉已獲得的學識和經驗有效地承擔起「新」的責任，因此必須吸取新知，以增進工作效益。

(三)自我實現的完成

為了滿足個人的求知慾望，保持並增進專業知識的新穎，館員可經由繼續教育，發揮個人的潛能。

二、繼續教育的目的

圖書館員繼續教育的主要目的在於：

1. 提高生產力：給予新進人員及現職人員適當的訓練，可提昇其工作能力、改善服務的品質。

2. 規劃人力資源：有系統的繼續教育訓練可為單位儲備擔當不同職務的人才，在職務調動時，可輕易地找到適當的遞補人選。

3. 激勵士氣：適時適切的在職訓練措施，可激勵工作人員的士氣，使整個工作環境氣氛顯得活潑、生動。

4. 間接酬賞：新進人員在選擇工作時，往往將機構是否重視繼續教育列為條件之一，在職人員將它視為酬勞，因此，有計畫的繼續教育可以吸優秀人才加入行列，並提高他們對工作的滿意程度。

5.促進人員的成長：繼續教育的目的在使每一個受訓者的工作條件更好，間接提高個人對機構的向心力與對工作的參與感。

6.避免落伍過時：「教育是要不斷發掘自己不知道的事而有所長進。」科技的進步，帶給圖書館相當大的衝擊。館員若能隨時吸取新知，將可避免組織的老化，對館務的推動裨益頗大⓯。

第四節　圖書館員繼續教育發展的歷史

圖書館員繼續教育的成長歷史，以及世界各國推行之現況在史東(Stone)之論文中有詳細的描述⓰。自一九七〇年起繼續教育已引起廣泛的興趣，許多國際性組織皆致力於圖書館暨資訊科學「繼續教育」工作的推廣，尤其是針對開發中國家的支援訓練。他們曾利用一些短期課程促進大家對「繼續教育」價值之重視。兩個最活躍而且最具影響力的組織是聯合國文教組織的 General Information Programme 和國際文獻聯盟(International Federation for Documentation)。前者之活動包括短期課程、訪問性演講、指導發展、諮詢顧問，以及「繼續教育」籌劃工作之評鑑等。後者常舉辦一些國際性座談會，由各關心圖書館暨資訊科學「繼續教育」之人士共同討論有關「繼續教育」之各種課題，目的在將開發中國家及已開發國家之圖書館暨資訊科學之實際工作者與教育者結合起來，共同發揮力量⓱。

美國圖書館暨資訊科學委員會 (National Commission on Library and Information Science, NCLIS)曾於一九七四年間贊助一項繼續教育之調查研究，並於一九七五年成立了「圖書館繼續教育組織網」(Continuing Library Education Network and Exchange, CLENE)。基於終生學習、自我教育之哲學理念，該組織之基本任務爲提供均等的繼續教育機會，提高服務的品質；促進圖書館與資訊科學人員對繼續教育的認知，以因應科技進步及社會變遷。「圖書館繼續教育組織網」自成立以來，致力於有效提供繼續教育的資訊及資源，近年來又努力發展參加繼續教育人員認可制度及建立「在家進修」制度等活動⑱。

有鑑於圖書館員獲取繼續教育之日趨重要，國際圖書館協會聯盟（IFLA）及美國圖書館協會(ALA)於一九八五年八月十三日至十六日在美國伊利諾州，舉行了第一次世界性的圖書館學暨資訊科學繼續教育會議。目的在提供有關繼續教育之資訊，並以會議本身所舉辦之方式作爲典範，研討繼續教育實際的作業方式。此次會議所傳達的訊息包括：成人之接受再教育，是因爲他們有高度繼續學習的意願；所謂「學習」指的是積極的探索、求知，而非僅是消極的聽講、上課。會中由世界各國專家學者發表論文、討論、交換意見，期望日後各國圖書館與資訊界皆能積極推行繼續教育⑲。

反觀我國，由於資金的缺乏、師資的不足，再加上公務人員終身僱用制度的保障，繼續教育的活動，始終舉步維艱，無法推展開來，至目前爲止，除了中國圖書館學會於暑期舉辦的工作人員研習會外，館際合作組織在繼續教育方面，曾扮演著重要的角色，自民國六十七年迄今，無論在會員大會期間或者其他場合，曾多次舉辦專題演講、參觀、觀摩、研習（討）會等活動，提供了圖書館人員良好的繼續教育機會⑳。

第五節　圖書館員繼續教育責任之歸屬

有關圖書館員繼續教育的問題，有人認爲是圖書館行政主管的職責，有人主張是圖書館學校所應肩負的使命，有人則強調圖書館協會應有全面協調之責，更有人指出是圖書館員個人的事。要之，繼續教育的成功與否，有待於這四方面的合作與努力，缺一不可。茲分述各部分的責任如下：

一、圖書館協會

專業學會成立的宗旨之一，即是爲了提高其專業人員的教育和地位，而繼續教育正是達成此目的之有效途徑，圖書館協會當致力於其成員知識的增進，站在領導的地位，加強館員繼續教育的推展。其責任包括：

1. 確定繼續教育的需求與內容。
2. 擬定各種繼續教育活動的標準與準則。
3. 定期舉辦各種研討會和訓練課程。
4. 準備多功能的媒體資料，隨時提供會員使用。
5. 成立一個繼續教育的委員會，做爲聯繫機構。

二、圖書館學校

圖書館學校參與繼續教育的活動，獲益良多，美國肯達基(kentucky)州的經驗提供了很好的證明，由於教員的實際參與，使其更深入地了解從業人員工作上的困難，因而對圖書館事業的發展能有更具體的貢獻㉑。一般說來，圖書館學校可有下列等方式的參與：

1. 鼓勵教員權充繼續教育的顧問，設有專門的人負責專業科目。

2. 提供有關能力本位教育（competeney -based education）方面的課程。

3. 灌輸學生對「終身教育」的責任心。

4. 讓從業人員選修旁聽研究所的課程。

5. 因應時代潮流，開設新觀念、新技術的課程。

6. 配合從業人員的時間，推廣圖書館教育。

7. 致力於繼續教育課題的研究。

三、圖書館

圖書館的行政主管有職責領導其館員不斷的自我進修，以提供最佳的圖書館服務，其主要的原因有三：⑴惟有將繼續教育的活動納入圖書館正式工作的體系，才能激發館員對繼續教育追求的興趣與熱衷；⑵惟有行政主管在財力及時間上的支持，才能使繼續教育的成果得以彰顯；⑶經由館員技能上的不斷改善，才能提昇圖書館服務的品質。

圖書館應該配合的，最顯著的有下列幾點：

1. 鼓勵員工隨時評估其現有的專業知識與技能。

2. 將館員繼續教育的目的和圖書館組織發展的目標相結合，並建立優先次序。

3. 隨時張貼有關繼續教育活動的新訊息。

4.讓館員們有參與決策的機會。

5.參與非正式的館際合作計畫，以交換心得。

6.鼓勵（支持）館員旁聽或進修研究所的課程。

此外，如參觀其他圖書館、獎助各種出版品及提供休假從事專題研究等㉒。

四、個　人

「繼續教育」是專業教育(professionalism)最重要的一環，而專業化的成長與發展須靠個人不斷地努力與學習，畢竟繼續教育的最終責任是屬於圖書館員個人的事。每一個館員均應自期：

1.有「自我成長」的體認與追求。

2.尋找自己最迫切需要的知能(competencies)。

3.評估曾參與過的繼續教育訓練課程。

4.培養學習的興趣與意願。

5.奉獻時間與金錢於繼續教育的活動上㉓。

第六節　繼續教育的規劃

繼續教育的規劃需有全盤性的考慮，茲就其步驟分述如下：

一、釐定教育需求的範疇與內涵(Needs Assessment)

繼續教育計畫應有明確的目的和方向。有了明確的目標和主題，圖書館才能夠選派最恰當的人接受訓練，館員也才能據此衡量自己的能力與需要，選擇適合自己的活動。

此可經由1.面談。2.問卷調查。3.考試。4.小組討論。5.工作項目之分析、工作表現之評估。6.報告研究等方法獲知。這些方法各有其優缺點：面談可以自由表達意見，但是很浪費時間，且不易量化；問卷調查較爲經濟，所收集的資料易於分析、討論，不過很難製作有效的問卷；考試可以看出特殊需求所在，但試題的有效性尚待考證；小組討論的問題分析可以廣收各家意見，惜耗時甚久、費用高昂；工作項目之逐條分析雖有助於個人工作之改善，却不一定能配合組織整體性的發展；至於報告研究，固能發掘問題所在，惟無由探討問題產生之因及解決之道。

以目前而言，大學圖書館員較迫切需要再教育的領域有下：

1. 行銷觀念與公共關係。
2. 行政管理、領導統御方面的能力。
3. 圖書館學發展的最新趨勢與資訊技術。
4. 學科主題方面的理論基礎與重點發展。
5. 對研究的興趣與解決問題的能力㉔。
6. 傳播理論及視聽媒體的應用。

二、訂定繼續教育的政策目標 (Objectives).

每個圖書館均須製作「繼續教育發展政策」，詳細規定館員應享的權利與義務。美國的哈佛大學、史丹福大學、印第安納大學均於館員的手册 (Librarians' Handbook) 中明載對圖書館員參加繼續教育活動的支持與補助㉕。除了給予公假外，亦有學費、機票、住宿費等津貼以鼓勵館員的進修活動 。此外 ，更有避靜(Retreat)活動的舉辦，於週末期間帶領館員到山明水秀的地方渡假，具有集思廣益，腦力激盪等充電效果。

三、活動方式

史東的調查研究指出最受歡迎的教育方式依次如下[26]：

1.短期密集課程。2.研習會(institutes)。3.研討會(conferences)。4.選修有關繼續教育學分的課程。5.函授課程。6.專業性的集會。7.口頭報告。8.參加學會中各種委員會的專業活動。9.旅遊、參觀活動。10.實習工作等。

就我國舉辦過的活動而言，計有下列幾種方式：

1.演講：邀請專家學者針對某一特殊課題，向許多館員進行講演。

2.討論會：安排學者專家與幾位受教者共聚一堂，就某一主題做精闢的討論。參與者可以經由不斷地溝通，得到較爲專精的知識，而彼此意見的交流，將加深對主題的了解。

3.會議：主要是針對某一中心議題舉辦大型研討會，深入探討最新的發展趨勢。

4.研習會：於一段選定的時間內，加強特殊技能密集訓練。

5.旁聽圖書館學校所開設之正式課程：鼓勵館員選修相關工作之新知識、技術。

6.攻讀學位：准予或補助在職人員修習圖書館學碩士學位。

此外，當然還包括參加學會組織、參觀其他圖書館、與同事討論、研討專業文獻、職位互調、從事研究計畫、編寫工作手冊與著述等[27]。

四、評　估

評估繼續教育活動及課程的主要目的在：

1. 確定它們是否達到了繼續教育所預期的目的。

2. 檢討教學成果，做為日後課程編排、師資人選、教學方法的改進。

3. 肯定參與繼續教育工作人員的認可制度。

4. 評量參與繼續教育課程工作人員的職務與責任分配是否恰當[28]。

要而言之，「繼續教育」活動的成功與否，以下列為斷：

1. 訓練方式和課程的選擇，必須事先有週詳的計畫和設計，且務必符合有效和實用的原則。

2. 訓練內容和時間，須配合受益人的實際情況，富有彈性[29]。

3. 經常定期、有系統地以問卷調查從業人員的興趣及其對接受「繼續教育」的期望。

4. 訓練績效必須予以審核、考評，期能隨時修訂、改善。

第七節　建議事項

國內大學圖書館員的繼續教育仍處於初步發展階段，待改進之處仍多。為適應未來的需要，擬建議下列數項，供吾人參考：

一、制定各大學圖書館館員繼續教育之政策

各圖書館應制定明確的政策，在館員「繼續教育」的名目下，編列固定預算，將圖書館員繼續教育所需財力上的支持、規定納

入圖書館之標準中。如此，不但可提升每位從業人員的專業知識與技術，並可提高圖書館服務之品質㉚。此外，亦可因此而將繼續教育納入升遷考核之準則，暢通繼續教育之管道。

二、成立全國繼續教育資源中心

黃麗虹曾建議我國能比照「美國繼續教育組織網」的體制，在中國圖書館學會之下，成立「繼續教育委員會」，負責規劃繼續教育資源中心之事宜。此包括調查全國圖書館員繼續教育之需求、籌劃、設計與評估各項繼續教育活動、提供所需之師資、教材及設備等㉛，以期館員繼續教員的普及化。

三、空中大學增設圖書館資訊科學方面之課程

展望未來，預期之努力在於提供更多的「繼續教育」機會及更富彈性的「繼續教育」傳送方式，尤其是對於在職進修之函授課程和轉換學分制度之設置。

四、學校教育與繼續教育密切連結

爲求圖書館學教育的完整性，職前的學校正規教育與在職的繼續教育應當有效地配合㉜。圖書館學教育者應尊重圖書館工作人員的實際需求，圖書館工作人員應注意理論研究的啓迪。

五、提倡「品管圈」的觀念

簡單地說，所謂「品管圈」(Quality Circle)是指「一群員工和其主管以改善其工作品質爲職志，所組成的團體㉝。」品

管圈的成立係基於一個信念：工作人員必須對其工作負責，經由團隊的力量所發展出來的技巧有助於組織效率的提高。其成功的關鍵繫於共識的達成和熱烈的參與意願。

一般認爲品管圈的觀念來自日本，其實源於美國狄明和朱琳(W. Edward Deming and Joseph Juran)兩位博士的發明。一九六〇年代在日本迅速展開，幾乎有四分之一的日本員工參與此項活動，東京大學的 Kaoru Ishikawa 在這方面的推動功不可沒㉞。據估計，全世界已有三百萬人口接受此訓練，遍及南韓、香港、台灣、新加坡和巴西等地。

品管圈的實施有許多效益，最顯著的如：

1. 製造館內和諧的氣氛。
2. 促進內部的合作與團結，提供公開坦誠的討論空間。
3. 減少工作的缺失。
4. 對工作的要求有更進一步的了解。
5. 提升團隊的精神，增加對自己的信心。
6. 培養領導人才。
7. 有助於主管與工作人員的溝通㉟。

「工作生活素質」(Quality of Work Life)的觀念有待提倡㊱，「目標管理」和「參與經營」的理念盼能在圖書館深植。處於這民主及文化的社會轉型期，圖書館工作人員要有「探索與爭鳴」的精神——有細心的探索，也有爭鳴的想望。

第八節　結　論

知識一直不斷地成長，人如果停止學習，就無法臻於完美，尤其是在圖書館學的領域裡，各種科技日新月異，稍一不留神，就無法跟上時代的潮流。為避免長期工作疲乏，觀念、技術的老化，及增加工作效率，提高服務品質，圖書館員之繼續教育實刻不容緩，更何況圖書資訊中心將是推動經濟和社會改革前進的一個重要輪軸。所謂專業教育除了專業技能、道德外，更包括了終身學習的意願㊲；學位的完成代表的是專業教育的開始，並非結束。誠如何光國先生所言：要辦好一套完整的「繼續教育」不是一件容易的事。它需要領導、經濟支援、更需要持恒和全力以赴㊳。最重要的是館員本身要有追求新知的興趣，與對工作的熱忱；不斷的求變求新、自我期許。

未來學家咸認傳統的圖書館服務型態將隨著時代的改變，進入自動化，電子化的新紀元。圖書館建築的數量在未來的資訊社會中雖將減少，但圖書館員的重要性卻日趨砥柱。故而有人預言在電子社會中，圖書館員將是最有價值的人。不管現實如何演變，我們能做的就是培養「知變的智慧、應變的能力與承變的勇氣」。「道消不必魔長，魔長未必道消」，做為一個圖書館員，臨淵羡魚不如退而結網，「我們沒有成長的目標，繼續不斷地成長就是我們的目標。」

附　　註

❶ E. H. Daniel, "Educating the Academic Librarian for a New Role As Information Resources Manager," *The Journal of Academic Librarianship* 11 (January 1986): 364.

❷ Maurice Marchant and Nathon Smith, "The Research Library Director's View of Library Education," *College & Research Libraries* 43 (November 1982): 437-444.

❸ D. E. Weingand, "The M. L. S-Only the Beginning," *Journal of Education for Library and Information Science* 25 (Winter 1985): 293.

❹ 陳敏珍，「圖書館員繼續教育探討」，臺北市立圖書館館訊，四卷三期（民國 76 年 3 月），頁 64-69。

❺ John Naisibitt, *Megatrends* (New York: Warner, 1982).

❻ 郭展仁，「圖書館人員在職進修之研究」，中國圖書館學會會報，第二八期（民國 65 年），頁 61-65。

❼ Cyril O. Houle, "What Is Continuing Education?" Discussion Paper quoted in Elizabeth W. Stone, *Continuing Library Education as Viewed in Relation to Other Continuing Education Movements* (Washington., D. C. : American Society for Information Science, 1974), p.479.

❽ Suzanne H. Mahmoodi, "Are You Sure That's What You Meant to Say ?" *Public Libraries* 21 (Summer 1982): 69.

❾ James G. Neal, "Continuing Education: Attitudes and Experience of the Academic Librarian," *College and Research Libraries* 41 (March 1980): 129.

❿ 同❹，頁 64。

⓫ Elizabeth W. Stone, "The Growth of Continuing Education ," *Library Trends* 34 (Winter 1986): 489-490.

⑫ 同❽。

⑬ Barbara Conroy, *Library Staff Development and Continuing Education: Principles and Practices* (Littleton, Colorado: Libraries Unlimited, 1978), p. xv.

⑭ 廖又生，「從圖書館組織發展論館員培育計畫」，臺北市立圖書館館訊，四卷三期（民國76年3月），頁56-60。

⑮ 郭崑謨、張東隆編，管理學原理（臺北市：中央圖書出版社，民國74年），頁264-266。

⑯ Elizabeth W. Stone, "The Growth of Continuing Education," *Library Trends* 34 (Winter 1986): 489-513.

⑰ Elizabeth W. Stone, "Continuing Education for the Library and Information Profession: An Interational Perspective, 1985" *IFLA Journal* 12 (1986): 203-217.

⑱ Elizabeth W. Stone, "Continuing Education for Librarians in the United States," in *Advances in Librarianship*, Vol.8, ed. Michael H. Harris (New York: Academic Pr. 1978), pp.315-316.

⑲ Mary C. Chobot, "First World Conference on Continuing Education for the Library and Information Science Professions," *Public Libraries* 25 (Fall 1986): 105-108.

⑳ 楊美華，「三十五年來的館際合作」，中國圖書館學會會報，四十三期（民國77年12月），頁43-44。

㉑ James A. Nelson, "The Kentucky Model for Statewide Continuing Library Education," *Journal of Education for Librarianship* " 16 (Fall 1975): 129-139.

㉒ David Weber, "The Dynamics of the Library Environment for Professional Staff Growth," *College and Research Libraries* 35 (July 1974): 262.

㉓ Elizabeth W. Stone, *Continuing Library and Information Science Education* (Washington, D. C.: American Society for Information Science, 1974), p.98.

㉔ Patricia Battin, "Developing University and Research Libiary Professionals: A Director's Perspective," *American Libraries* 14 (January 1983): 24.

㉕ Barbara Conroy, *Staff Development and Continuing Education Programs for Library Personnel: Guiedlines and Criteria* (Washington, D. C. : Western Interstate Commission for Higher Education, 1974), p.3.

㉖ 同㉓，Appendix B.

㉗ 傅雅秀，「資訊社會中圖書館員的繼續教育」，臺北市立圖書館館訊，四卷三期(民國76年3月)，頁30。

㉘ 陳豫，「全國圖書館人員繼續教育之規劃與展望」，臺北市立圖書館館訊，四卷三期(民國76年3月)，頁20。

㉙ 何光國，「『做到老，學到老』——也談圖書館員的繼續教育」，臺北市立圖書館館訊，四卷三期(民國76年3月)，頁6-7。

㉚ 傅雅秀，「圖書館員繼續教育調查研究」，教育資料與圖書館學　22(民國73年9月)，頁53-64。

㉛ 黃麗虹，「我國大學圖書館館員繼續教育之研究」，圖書館學與資訊科學，十二卷二期(民國75年10月)，頁176-221。

㉜ 同❹。

㉝ Ira B. Gregerman," Introduction to Quality Circles: An Approach to Participative Problem Solving," *Industrial Management* 23 (1979): 21-26.

㉞ 同㉝。

㉟ Edward Yager "Quality Circle: A Tool for The 80's," *Training and Development Journal* 34 (1980): 60-62.

㊱ Jean S. Decker, "QWL in Academic / Research Libraries, "In *Libraries in the '80s* (New York: Haworth Pr., 1985), p. 51.

㊲ T. Konn and N. Roberts, "Academic Libraries and Con tinuing Education, A Study of Personal Attitudes and

Opinions," *Journal of Librarianship* 16 (October 1984): 262.

㊳ 同㉙。

第九章　我國大學圖書館的發展與現況

我國高等教育包括專科學校、獨立學院、大學及研究所。三十九學年度時，計有大專院校七所（大學一所、獨立學院三所、專科學校三所）及大學附設之研究所三所、學生六千六百六十五人；其後，由於經濟建設之發展，各類專門人才之需求量不斷增加，政府及民間均大量增設大專院校，至七十六學年度，校數已增達一百零七所（大學十六所，獨立學院二十三所，專科學校六十八所）及附設之研究所三百一十五所，校數增加十四•三倍；學生增至四十六萬四千六百六十四人❶。

大專院校圖書館，尤其是大學圖書館，於國內各類型圖書館中無論是在組織、人員、經費、館藏、服務或館舍設備均較上軌道，具規模❷。近年來，教育當局對大專院校圖書館的組織、地位及人員問題也逐加重視，由各校漸提升其圖書館之經費、館藏及設備等服務標準可見一斑。此地僅就下列幾方面論列我國大學圖書館近年來的發展與現況。

第一節　大學圖書館之調查、研究

中國圖書館學會爲瞭解全國各圖書館之發展狀況，曾多次舉辦調查。按年代之先後排列，可分疏如下：

一、民國四四年三月，函請台灣省各級圖書館填覆，其中大專圖書館類刊載於會報第五期。

二、民國五十年十二月，「民國五十年國內大專院校圖書館概況」刊佈會報第十三期，收錄大學圖書館十所、學院圖書館五所、專科學校圖書館九所。

三、民國五十五年十二月，會報第十八期刊佈「台灣各大專院校圖書館概況一覽表」。

四、民國五十六年十二月，會報第十九期刊佈「台灣各大專院校圖書館現況調查表」，調查範圍包括六十四所圖書館。

五、民國五十七年十一月，會報第二十一期刊佈「中華民國五十七年各級圖書館現況調查初步報告」，其中「大專院校圖書館現況調查表」,包括公私立大專院校及神學院圖書館,共五十所。

六、民國六十三年十二月，中國圖書館學會委託私立中國文化學院及國立中央圖書館台灣分館編製完成「大專院校專門暨公共圖書館資料彙編」，刊佈於會報第二十六期。

七、民國六十四年六月,教育部為訂定大專圖書館經營準則,委託中國圖書館學會組織「大專圖書館標準擬訂工作小組」，對各大專圖書館進行全面訪問調查，其報告見王振鵠先生所撰「台灣大專圖書館現況之調查研究」乙文，刊於圖書館學與資訊科學半年刊第二卷第一期。

八、民國六十七年八月，中國圖書館學會大專暨學術圖書館委員進行大專院校圖書館調查，由該會研訂「全國大專院校圖書館現況統計資料表」，函請各校填覆，再予以整理分析。其報告見胡歐蘭教授撰「六十七年度臺灣大專院校圖書館現況調查分析」,刊於會報第三十期❸。

爾後，國立中央圖書館爲編輯中華民國圖書館年鑑，曾於民國六十八年進行一項全面性的圖書館調查工作，藉以了解圖書館事業發展情況。並於民國六十九年十二月，出版台灣地區圖書館事業現況——中華民國圖書館年鑑調查錄。

此外，民國七十一年，教育部曾舉辦大學及獨立學院圖書館的評鑑工作，胡家源先生根據此評鑑小組的調查資料，編印了各種統計表，並於中國圖書館學會會報慶祝成立三十週年特刊中，撰寫了「三十年來的大學及獨立學院圖書館」❹，就館藏資料、組織人員、館舍建築、工作服務等方面，對我國大學及獨立學院圖書館作了極詳盡的報導。而何光國先生亦根據此調查資料，比較分析我國十六所大學圖書館之規模及服務條件❺。

民國七十四年，行政院研究發展考核委員會委託國立中央圖書館進行「建立圖書館管理制度」之研究，範圍包括我國圖書館事業現況、我國圖書館暨資料單位業務分析、各國圖書館制度之比較、我國圖書館問題之探討、及我國圖書館發展芻議等事項，最後並提出圖書館事業之具體方案❻。

民國七十五年，亞洲學會亦贊助國立中央圖書館一項「全國圖書館統計之調查工作」，針對我國各類型圖書館西文書刊蒐藏概況及需求進行調查，以爲其未來贈書分配之參考依據。

民國七十七年，國立中央圖書館編印第二次中華民國圖書館年鑑，收有「台閩地區圖書館調查錄－民國七十四年」。

第二節　圖書館負責人

民國七十一年七月三十日「大學法」修正公布，其中第十六條明文規定：「大學圖書館，置館長一人，由校長聘請具有圖書館專長之教授或專家擔任」❼，同法中並明載圖書館館長得參與大學之校務會議、行政會議、及教務會議。在這一法規中，明確地提昇了大學圖書館的地位，因爲大學圖書館館長直屬校長，其地位與教務長、訓導長、總務長平行。

圖書館事業的順利發展，有賴於許多方面的配合，其中，主管人員在學校內的地位，尤其與業務的開展發生密不可分的關係。大學圖書館館長，升爲一級主管，由於多種重要業務的參與，得以掌握學術發展的動態，熟悉組織行政的運作，對大學圖書館的經營不無深遠的影響。

一、年　齡

根據筆者民國七十五年的一項研究顯示：我國大專圖書館負責人的年齡大多介於三十歲和五十歲之間，在九十九所塡答的大專圖書館中，有六十九人（約佔百分之七十）屬於此範疇，有十一人（約百分之十一）在三十歲以下，僅十九人（計百分之十九）的年齡超過五十歲❽（見表十六）。將此與民國七十年的調查做一比較，發現以往的主管「無論何種類型的圖書館均以五十歲以上者居多」❾，如今已有「年輕化」的顯著跡像。

表十六：圖書館負責人的年齡（民國七十四年）

年　　齡	人　　數	百　分　比
30 歲以下	11	11.1
31 － 40 歲	41	41.4
41 － 50 歲	28	28.3
51 － 60 歲	13	13.1
61 歲以上	6	6.1
共　　計	99	100.0％

二、性　別

圖書館負責人的性別向以男性居多，在九十九所塡答性別的圖書館中有五十四所（ 54.5％）的負責人係男性，四十五所（ 45.5％）的負責人爲女性，不過女性館長已有逐漸增加的趨勢。

三、專業訓練

至於圖書館學專業訓練方面，除了淡江大學圖書館向由圖書館學專家擔任館長一職外，目前的國立臺灣大學圖書館、國立師範大學圖書館、逢甲大學圖書館、文化大學圖書館以及國立政治大學圖書館的館長亦均是學有專精的圖書館學專家，遠離了昔日「由外行領導內行」的陰影（參見表十七）。

表十七：圖書館負責人之專業訓練（民國七十四年）

圖書館學專業訓練	人數	百分比
短期訓練班	35	38。9
專科學校	4	4.5
圖書館學學士	21	23。3
圖書館學碩士	10	11。1
圖書館學專家文憑	2	2。2
圖書館學博士	0	0
其他	18	20.0
共計	90	100.0％

第三節　圖書館人力資源分析

一、工作人員數量

民國七十五年的一項研究調查顯示：在一千零六十四位大專圖書館員中，有四百九十三位（ 46.3％ ）是專業人員，五百七十一位（ 53.7％ ）爲非專業人員，其中，八百五十位係專任人員，八十八位兼任人員，餘一百二十六位則屬編制外員額⑩。可見非專業的「館員」比專業館員還多。而編制外員額及兼任人員的存在亦反映了大專圖書館人事問題的嚴重性（見表十八）。

表十八：**大專圖書館工作人員數量**（民國七十四年）

職稱	專任	兼任	臨時人員	共計	百分比
專業人員	450	27	16	493	46。3
非專業人員	400	61	110	571	53。7
共計	850	88	126	1,064	100.0%

二、工作人員性別

同一項調查研究顯示：在填答性別的一千零二十八位大專圖書館員中，有七百六十六位（ 74.5 ％）女性館員，二百六十二位（ 25.5 ％）男性館員⓫，圖書館中女性館員居多的現象在大專圖書館尤然。

三、圖書館員的教育背景

如表十九所示，九百七十六位大專圖書館員中，四百二十三位獲有圖書館學學位，佔四十三個百分比。不具圖書館學學位的三百五十三名大專圖書館員中，無任何圖書館學訓練的館員竟達二百五十六位之多⓬，離「館員專業化」的目標仍有一段遙遠的距離。

表十九：大專圖書館館員的教育背景

（民國七十四年）

學位＼圖書館學	圖書館學位	短期訓練	無專業訓練	合計	百分比
博士	0	1	4	5	0.5
碩士	39	9	19	67	6.9
學士	342	133	77	552	56.5
專科	42	58	48	148	15.2
高中		95	91	186	19.1
初中		1	17	18	1.8
共計	423	297	256	976	100.0%

四、服務學生數的統計

就大學圖書館工作人員而言，民國四十四年時，平均每一館員服務之學生數爲一百零一人，三十年後的今天，每一館員服務的讀者非但沒有減少，反倒增加至二百八十四人（見表二十），由我國「大學及獨立學院圖書館標準：每有學生一百五十人應另增館員一人」的規定觀來，我國大學圖書館人力嚴重不足的現象昭然若見⓭。

表二十：大學院校圖書館工作人員平均服務學生人數統計表

校別／人數／年次	大學				獨立學院				備註
	校數	館員數	學生人數	平均每一館員服務之學生數	校數	館員數	學生人數	平均每一館員服務之學生數	
44	3	80	8,061	101	3	17	5,149	303	1. 四十四年缺東海、中原調查統計。
50	9	166	23,782	143	3	9	3,763	418	2. 五十五年包括研究生。
55	10	184	30,892	168	7	39	11,267	289	3. 六十年包括日夜間部的學生。
60	11	291	49,333	170	9	59	29,083	493	4. 六十一年缺海洋、教育、北醫、中醫、高醫等校之統計報告。
61	11	293	59,947	203	7	116	48,337	417	5. 七十一年包括學生及教職員的人數。
71	12	419	95,947	229	14	183	93,738	512	
74	16	613	174,281	284	12	146	41,625	285	

第四節　館藏資料

一、歷年來的館藏成長情形

綜合幾次的調查研究資料，可知歷年來各校的平均圖書册數迭有增加，然而每生擁有的平均册數卻有下跌的趨勢（參見表二十一、二十二）。換言之，各校的館藏並未隨學生人數的增加而成長，離我國「每有學生一人，另增加三十五册」⓮之藏書標準，仍有一段差距，期刊尤然（參見表二十三、二十四）。

表二十一：大學院校圖書館藏書數及平均每校每生册數統計表

年次	校數	學生人數	館藏圖書總册數	平均每校册數	平均每生册數
44	8	15,698	893,325	111,665	57
61	18	97,436	3,207,996	178,222	33
64	24	94,551	2,950,303	122,929	31
71	26	165,739	6,353,720	244,374	38.5
74	28	215,906	6,876,150	245,577	32

表二十二：大專院校圖書館藏書數及平均每校每生册數統計表

年次	校數	學生人數	館藏圖書總册數	平均每校册數	平均每生册數
50	16	30,530	1,347,985	84,249	44
55	25	51,509	1,831,411	73,256	36
60	35	91,593	3,371,581	96,331	37
64	86	197,109	4,557,761	52,997	23
68	98	270,829	8,360,662	85,313	31
76	105	460,899	13,123,346	124,984	28.5

表二十三：大學院校圖書館期刊數及平均每校每生種數統計表

年次	校數	學生人數	館藏期刊總數	平均每校種數	平均每生種數
44	8	15,698	3,456	432	0.22
61	17	97,436	23,874	1,404	0.25
71	25	165,739	47,142	1,886	0.29
74	28	215,906	64,540	2,305	0.30

表二十四：大專院校圖書館期刊數及平均每校每生種數統計表

年次	校數	學生人數	館藏期刊總數	平均每校種數	平均每生種數
50	16	30,530	16,334	1,021	0.5
55	25	51,509	18,863	755	0.4
60	35	91,593	25,801	737	0.3
64	81	190,827	54,820	677	0.29
68	98	270,829	46,233	472	0.17
76	105	460,899	92,266	879	0.20

二、目前的藏書狀況

以國立中央圖書館民國七十六年底之調查統計資料而言，目前台灣地區大專院校圖書館之藏書册數總計 13,123,346 册，平均每校 124,984.24 册。期刊總數計 92,266 種，平均每校 878.72 種。全部的調查學生數為 460,810 人，平均每一學生分享的圖書册數為 28.48 册，期刊 0.2 種⓭，其分布之情形見表二十五。

表二十五：臺灣地區大專院校圖書館統計表（民國七十六年六月）

校別 \ 項目數量		校數	學生人數	藏書冊數	期刊種數	每校平均圖書冊數	每校平均期刊種數	每生平均圖書冊數	每生平均期刊種數
大學	公立	9	69,251	5,231,483	43,457	581,275.88	4,828.56	75.54	0.63
	私立	7	115,478	2,341,498	14,117	334,499.71	2,016.71	20.28	0.12
	小計	16	184,729	7,572,981	57,574	473,311.31	3,598.38	41.00	0.31
獨立學院	公立	6	12,899	509,705	4,795	84,950.83	799.16	39.51	0.37
	私立	6	18,700	415,541	6,453	69,256.83	1,075.5	22.22	0.35
	小計	12	31,599	925,246	11,248	77,103.83	937.33	29.28	0.36
專科學校	公立	21	53,536	1,652,615	7,929	78,695.95	377.57	30.86	0.15
	私立	56	190,946	2,972,504	15,515	53,080.44	277.05	15.57	0.08
	小計	77	244,482	4,625,119	23,444	60,066.48	304.47	18.92	0.10
總計		105	460,810	13,123,346	92,266	124,964.24	878.72	28.48	0.20

資料來源：第二次中華民國圖書館年鑑（臺北市：國立中央圖書館編印，民國七十七年），頁41。

由以上分析可見整體說來，我國大專院校圖書館事業確有長足之進步，分項觀之，大學、獨立學院與專科學校的書刊資料又存有天壤之別。就藏書而言，平均每一所大專圖書館擁有十二萬餘册圖書，其中大學平均四十七萬册，獨立學院平均每校七萬餘册，專科學校平均每校七萬餘册，而公立學校與私立學校之間更有顯著的差異⑯（見圖十六）。

圖十六：臺灣地區大專院校圖書統計

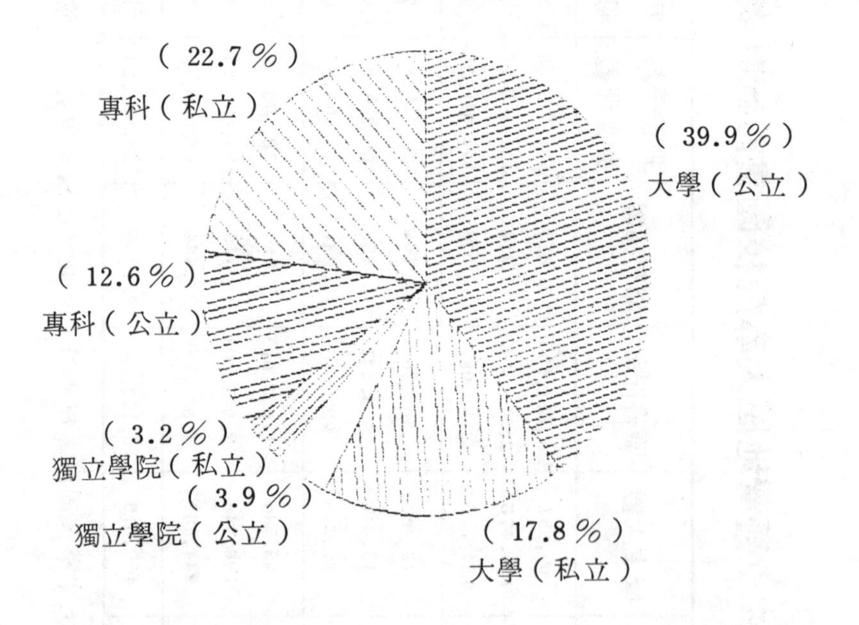

至於期刊的館藏，公立大學平均收藏了四千八百多種期刊，私立大學，二千餘種，獨立學院，不及一千種，專科學校則每校平均僅三百零四種（見圖十七）。

圖十七：臺灣地區大專院校期刊統計

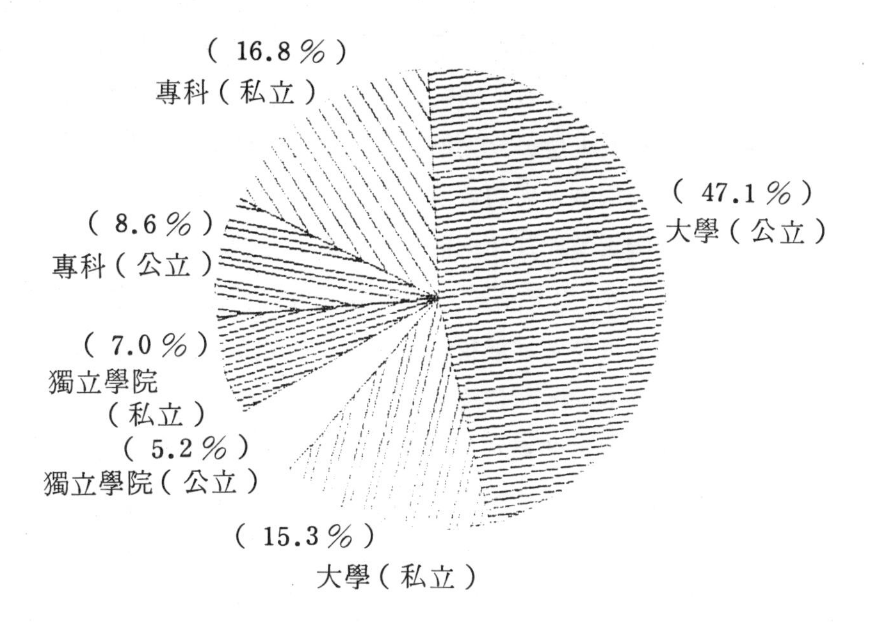

三、應有的規模

怎樣的館藏規模是適當的？唐斯和休斯曼(Downs & Heussman）的報告指出：截至一九六八年六月卅日止，美國五十所主要大學圖書館館藏平均數爲1,989,188冊，中位數爲1,456,684冊⓱。

在「從『美國大學圖書館標準』看我國大學圖書館的館藏資料」一文裡⓲，胡述兆教授指陳：就一九八一年的水準而言，我國大學圖書館的藏書量，與美國「大學圖書館標準」(Standards for College Libraries）⓳中所規定的冊數相比，還相差一段相當大的距離。就整體來說，平均藏書量僅達美國大學圖書館標準的丙等（ 71.3 ％），如將國立大學與私立大學分開，則前者屬乙等（ 86.6 ％），後者僅丁等（ 59 ％）。我國大學圖書館藏書落後的現象，自不待言。根據臺大圖書館學系吳明德教授的調查研究，發現針對九所公立大學研究生寫研究論文所需引用的文獻資料而言，大學圖書館館藏所能供應的不到百分之六十。由此可見國內大學圖書館館藏顯然嚴重不足⑳。

民國七十二年，胡家源先生引用美國哈佛大學圖書經費為例，說明該校一九七九年圖書經費超過美金 4,744,833 元，折合新臺幣為 189,793,320 元，而我國廿六校（大學及獨立學院）民國七十一年之圖書經費總共只有 143,389,396 元，比起哈佛大學尚少了四千餘萬元，胡先生呼籲國人急起直起，俾使我國大學的學術地位能在世界上爭得一席之地㉑。而民國七十六年的中國圖書館學會第三十五屆年會中，行政院新聞局邵局長更指出：國內一百零八所大專院校的藏書合計一千一百七十萬册，但美國一所哈佛大學就有一千一百一十三萬册藏書。如何積極加速充實我國大專圖書館的資源，是當前最重要的課題㉒！

第五節　圖書館自動化

在館務方面，有部分圖書館積極發展自動化作業，根據李德竹教授的調查報告：民國六十一年國立清華大學物理圖書館首先利用電子計算機處理該館圖書目錄作業，雖然設計較為簡單，鮮為人知，但此擧正式開啓了我國大學圖書館自動化的作業時代㉓。

一、大學圖書館自動化系統發展情形

如表二十六所列，除了國立清華大學初試啼聲外，國立師範大學圖書館在張前館長鼎鍾的領導下，積極參與中文電腦化的開發工作，以電腦編印「教育論文摘要」，建立中文教育資料庫，對中文電腦化的推動，功不可沒。

表二十六：我國大學圖書館自動化系統發展情形（1972 - 1989）

單位名稱	始年	系統名稱／硬體名稱	功　能	進行方式
國立清華大學物理圖書室	1972	物理圖書系統／IBM 1130	圖書目錄	自行設計
國立清華大學圖書館	1979	西文期刊編目系統／CDC CYBER-840	西文期刊聯合目錄	自行設計
	1982	期刊控制系統／CDC CYBER-172	期刊控制	自行設計
	1985	編目子系統／CDC CYBER-172	西文編目	自行設計
	1988	出納系統／IBM PC	出納	自行設計
	1989	參與科技性全國資訊網路	檢索國內外資料庫	參加連線作業

私立淡江大學圖書館	1977	期刊控制與採購系統 / IBM 370 / 148	西文期刊控制與採購	自行設計
	1986	淡江大學圖書館自動化系統 (TALIS-大力士) IBM 4381 / M 11	出納、編目、線上公共檢索查詢目錄	現成軟體
	1988	〃	採購、中西編目、出納、期刊、參考服務、行政管理、線上公共檢索查詢目錄等	現成軟體
國立師範大學	1978	中文教育論文摘要檔系統(CERIS) / Perkin Elmer 8-32 (現改用Prime 750)	中文教育論文摘要	自行設計
國立師範大學圖書館	1988	CD-ROM	ERIC 資料檢索	現成軟體
	1989	URICA	出納、採購、編目	現成軟體
國立台灣大學圖書館	1981	期刊控制系統 / UNIVAC 1100	台大西文期刊聯合目錄	自行設計

	1985	國立台灣大學自動化圖書館資訊系統(NATALIS)/DEC PDP 11/73	展示編目、出納及線上公共目錄查詢	自行設計
	1989	科技性全國資訊網路	查詢國內外資料庫十餘種	
國立台灣大學工學院聯合圖書館	1985	出納及資訊檢索、自動化系統(CIRAS)/VAX 785	出納、資訊檢索	自行設計
私立東吳大學經濟系圖書館	1981	經濟資料檢索系統／IBM 370	經濟學圖書、期刊、論文資料	自行設計
國立政治大學中正圖書館	1982	圖書出納系統／Perkin Elmer 3220（1984 年改用 Prime 750 ）	出納	自行設計
國立交通大學圖書館	1984	交通大學圖書館自動化系統／WANG VS-90	外文期刊自動化系統	自行設計

國立交通大學圖書館	1985	交通大學圖書館自動化系統/WANG VS-90	西文圖書、編目	自行設計
	1986	線上查詢系統/WANG VS-90	出納、中文圖書、校區圖書館連線作業	自行設計
	1989	1. 科技性全國資訊網路 2. 中文期刊系統 3. 館際合作	與國科會科資中心連線	透過Dial up
國立成功大學圖書館	1985	圖書出納系統/TI 990/10	出納	自行設計
	1986	國立成功大學自動化圖書館系統/TI 990/10/IBM PC/AT, APPLE II	採購、出納、新書通報、期刊控制、查詢、館際合作、經費控制等。	自行設計
	1989	UTLAS T/50	出納、編目、採購、期刊	醫學院圖書館
私立逢甲大學圖書館	1986	西文期刊(系統/WANG VS-80	期刊	自行設計
	1988	出納子系統	出納	自行設計

國立台灣工業技術學院圖書館	1988	西編和期刊系統／VAX 780;Master 32 CD-ROM	完成部分西編和期刊 ERIC 資料線上檢索	自行設計
國防醫學院圖書館	1988	出納系統(CCS-100)／IBM 5550	出納、西編、線上檢索	現成軟體
	1988	採用 URICA 軟體做圖書館整體自動化／Douglas 6400	採購、編目、出納	現成軟體
國立中山大學圖書館	1989	出納系統／MAC SE 30	圖書流通	自行設計

資料來源：參考李德竹，「我國圖書館自動化資訊系統發展之探討」，中國圖書館學會會報，第四十三期(民國 77 年 12 月)，頁 111-119。

所有自動化系統中，以淡江大學圖書館的自動化系統 TALIS (Tamkang Automated Library Integrated System)最引人注目，此系統具有下列幾項特性㉔：

㈠整合作業系統。

㈡具有網路作業能力。

㈢書目檔、權威檔及索引檔結合。

㈣關鍵語(key word)索引功能強。

㈤資料錄間的相互關係及款目間的參照易於建立。

㈥提供多種簡便書目資料輸入方法。

(八)中、西、日文資料同置一檔。

(九)畫面顯示資料的位置一致，易於辨認。

(十)分類號檔、標題檔及出版者檔，隨時指示各款目所含資料的數量。

此外，國立政治大學的出納自動化系統雖不盡完善，也使用多年。國立台灣大學向以大型電腦編印西文期刊之館藏目錄。國立交通大學的圖書館自動化系統於民國七十二年七月首先開發「外文期刊自動化系統」，續有「西文圖書」、「圖書出納」和「中文圖書」等系統，均以王安電腦自行設計。至於國立清華大學、成功大學、逢甲大學等亦均是零星作業，部分自動化。

有鑑於國內各大學圖書館對自動化迫切需求，而人力資源有限，教育部遂有「國立大學校院圖書館發展計畫」之委託，由臺大（召集人）、政大（副召集人）、清大、交大、成大、中山等六校成立推動小組，先就十五所公立大學校院已完成或正發展中之圖書館自動化作業系統評估，進而提出一國立大學院校圖書館共同適用，且具互通性之自動化需求書。

二、使用國際百科資料庫

透過人造衞星，圖書館可連接美國洛克希德資訊公司(Lockheed)發展的 DIALOG 系統，系統發展公司(SDC-System Development Corporation)的 ORBIT 系統，以提供即時線上檢索各類、各科的資訊，如商情、新聞、教育、醫療者二百個以上的資料庫。目前大專院校圖書館使用國際百科資料庫現況如下表㉕：

表二十七：大學圖書館使用國際百科資料庫現況

系統名稱 / 數量（使用單位） / 單位名稱	系統名稱	每月平均使用次數
國立台灣大學	DIALOG	8
國立台灣師範大學	DIALOG, ORBIT	30
私立淡江大學	DIALOG	25
國防醫學院	DIALOG	30
國立清華大學	DIALOG	25
國立交通大學	DIALOG	10
國立成功大學	DIALOG	25

如同國外的大學圖書館一般，線上檢索有許多收費、計費的困難，使用單位稀少，每月平均使用次數低落看來，利用線上檢索資料之情形在我國仍不甚普遍。不過民國七十五年台灣地區成立了巨流資訊(ALPHANET)公司後，透過 DIALCOM 網路亦可查檢許多國外資料庫。

三、光碟唯讀記憶系統(CD-ROM)的引用

書目性光碟系統在我國大學圖書館的應用甚爲普遍，大都採美國圖書館合作公司 (Library Corporation) 發展之書目光碟片

(Bibliofile)，目前，OCLC（線上電腦化圖書館中心）和UTLAS（加拿大多倫多大學圖書館自動化系統）亦相繼推出回溯性書目資料的光碟片。

此外，國立台灣大學、國立師範大學、國立陽明醫學院、工業技術學院等均收有銀盤（Silver platter）公司所出版之光碟檢索資料庫，如MEDLINE, LISA, ERIC等，收費均相當低廉，頗受使用者喜愛，有廣爲盛行之趨勢，而 Info Access and Distribution 在台灣亦有代理商。

四、國外資料庫的引進

除了淡江大學率先與美國的線上電腦化圖書館中心簽約，使用 OCLC 資料庫作編目外，國立成功大學醫學院圖書館亦於民國七十八年使用加拿大多倫多大學圖書館自動化系統，測試中文資料的編目。目前行政院國家科學委員會科學技術資料中心爲使研究人員可以快速查詢國內外資料庫，已於民國七十七年底完成「科技性全國資訊網路」，供各大圖書館連線，查詢國內外之資料庫。

第六節　館舍建築

由於觀念的導正，各大學院校對圖書館的設備、經費及館務都頗爲重視，亟予擴充或改善。近年來，新建的館舍包括國立師範大學圖書館、國立清華大學圖書館、私立中原大學圖書館、私立東海大學圖書館及國立中山大學圖書館，擴建的館舍則有私立

表二十八：近年來興建之大學圖書館館舍

圖書館	設計者	啓用年	規　模	館藏 容量	讀者人數	閱覽席位	備　註
國立交通大學	宗　邁（陳邁）	70	地下一層地上三層 8,601 平方公尺	21 萬冊	5,340 人	800 餘席	
國立臺灣師範大學	彭蔭宣	73	地下一層，地上八層之半圓形 11,000 餘平方公尺	120 萬冊	8,700 人	1,100 餘	（含新館 1－8 樓 620 席，地下室 156 席，舊館 380 席）
私立東海大學	楊明雄	74	共五層 4,134 坪	50 萬冊	11,000 人	3,000 餘席	研究小間 52 間 討論室 3 間
私立中原大學張靜愚紀念圖書館	潘　冀	74	地下一層地上五層 3,700 餘坪	40 萬冊	11,022 人	1,500 餘席	另有研究小間 52 間，討論室 4 間
國立清華大學	彭蔭宣	74	地上六層 2,070 坪	100 萬冊	4,435 人	1,000 席	設有單人研究桌及研討室
國立中山大學	陳其寬	78	地上十層地下二層 6,000 坪	60 萬冊	10,000 人	2,500 席	研究小間討論室
彰化教育學院	王秋華	79	五層樓（含地下室）3,059 坪	427,208 冊	4,000 人	1,018 席	研究小間 36 間
國立海洋大學	王秋華	79	五層樓（含地下室）2,154 坪	230,286 冊	3,200 人	855 席	討論室 2 間

逢甲大學圖書館及國立交通大學圖書館等。此外，尚有興建中的國立海洋大學圖書館、彰化教育學院圖書館及設計中的國立中正大學圖書館、國立台灣大學圖書館和私立中國文化大學圖書館等，茲將近幾年新建的大學圖書館列表說明於下㉖（見表二十八）。

圖書館館舍之規劃甚爲重要，國立台灣師範大學圖書館曾於民國六十八年舉辦過研討會㉗，邀請美國印第安那大學的圖書館顧問凱塞(David Kaser)先生來台演講。日本的著名建築師鬼頭梓亦曾應國立中央圖書館之邀，專題演講「圖書館建築設計的原則」㉘。綜觀國內幾個新建的圖書館在席位上雖然未達「圖書館閱覽座位數，應以學生總數百分之三十三爲標準，即每三人應有一座位」之理想㉙，但大體說來，亦能把握1.環境考慮；2.造型意象；3.內部空間氣氛；4.使用管理；5.通風採光照明等設計原則㉚。

第七節　幾個問題的商榷

民國七十八年二月廿一、廿二日，國立中央圖書館奉教育部核示，召開全國圖書館會議，以「廿一世紀的圖書館事業」爲中心議題，邀集有關單位及圖書館界代表集思廣益，就圖書館有關之法令標準、各類圖書館之職能、圖書館館際合作、資訊網路規劃、圖書館教育與人員培訓、任用制度等問題，加以研討，提出整體性、前瞻性及切合實際之發展方案供政府採擇施行㉛。

僅就其中有關大學圖書館之部分討論於后：

一、「圖書館法」之闕如

「圖書館法」爲圖書館事業發展之依據，歐美各國以及鄰近各國（如韓國、日本）莫不訂有「圖書館法」，做爲圖書館事業整體發展的基礎。目前全世界有六十多個國家制定和頒布了圖書館法規，它們在推動全國圖書館事業的發展上起了極大的催化作用。

法令爲一切措施的準繩，工作的憑藉。因此，一部具有時代精神的圖書館法，是十分迫切需要的，也是現代圖書館事業之發展所不可或缺的。我國有關「圖書館法」之研議，雖已多年，至今仍未能定案立法，以致嚴重影響館務的進展。宜儘速研擬「圖書館法」，以謀大學圖書館之健全發展。

大學圖書館亟需一可共同遵行之母法，以作爲推動圖書館業務之憑藉。我國政府若能從速制訂「圖書館法」，明確規定各類型圖書館設置之標準及編制、功能與任務、從業人員的地位，以及經費來源與預算編列等標準，相信對大學圖書館業務之推動將有相當大的助益。

二、中國圖書館學會所頒布之「圖書館標準」無强制性且不合時宜。

中國圖書館學會於民國四十九年成立「台灣省圖書館事業改進委員會」，進行各類型圖書館標準之擬定，並於民國五十二年完成並公布「大學圖書館標準」，對於各校圖書館業務之改善與發展頗多影響；惟該項標準因屬學會所擬訂，屬參考性質，不具强制性；且其中若干數量上之規定，亦已不合時宜，應及早建立

「圖書館標準」，作爲大學圖書館經營之準則。

自民國六十八年十二月中國圖書館學會第二十七屆會員大會通過「專科學校圖書館標準」及「大學及獨立學院圖書館標準」後，至今又已十餘年，許多標準已不能適用於目前之環境體系。

圖書館標準之訂定，影響一國圖書館事業之發展甚鉅。圖書館的經營，首須釐訂有助於圖書館事業全面發展的各種法規及各項服務準則，作爲推展業務的標竿。此項標準，先進國家多由政府或圖書館專業團體訂定，列明有關藏書、人員、經費、館舍及服務重點等質量或條件，作爲行政主管、圖書館工作人員努力的指標、評鑑業務的依據，以及圖書館經營之準則。我國如能適時訂頒「大學圖書館標準」，將使我國大學圖書館之經營管理有一明確目標、具體條件與工作方向。

三、圖書館員額編制的問題

就組織員額方面，各館普遍存在「人力短缺」的問題，教育部民國七十三年五月所公布之「公立大專院校、國立中等學校暨部屬各館、所組織員額評鑑總報告」，亦指出公立大專院校圖書館之員額普遍不足。有鑑於此，其組織員額評鑑小組曾研擬出「大專院校圖書館組織員額設置基準」，（見表二十九），規定圖書館的員額以「服務人數」（教職員及學生）與「圖書册數」爲計算基準。服務人數中，兼任教師、職員及大專學生皆以本數列計，專任教師一人折三人，研究生一人折兩人；期刊及其他資料經裝訂成册庋藏者，視同圖書列計；並以服務人數佔 30 %，圖書册數佔 70 %，合併累退計算，其計算公式爲：

表二十九：公立大專院校圖書館員額設置標準表

（草案）（民國七十三年五月）

服務人數	計算標準	圖書冊數	計算標準
不足 500	服務人數÷400＋0	不足 10000	圖書冊數÷5000＋0
501-1000	服務人數÷420＋0.1	10001- 30000	圖書冊數÷7500＋0.2
1001-1500	服務人數÷440＋0.2	30001- 60000	圖書冊數÷10000＋1.7
1501-2000	服務人數÷460＋0.4	60001-100000	圖書冊數÷12500＋2.9
2001-3000	服務人數÷480＋0.5	100001-150000	圖書冊數÷15000＋4.2
3001-4500	服務人數÷500＋0.8	150001-250000	圖書冊數÷17500＋8.5
4501-6000	服務人數÷520＋1.5	250001-400000	圖書冊數÷20000＋10.3
6001-8000	服務人數÷540＋1.6	400001-600000	圖書冊數÷22500＋12.5
8001-10000	服務人數÷560＋2.1	600001-1000000	圖書冊數÷25000＋15.8
10000 以上	服務人數÷580＋2.8	1000000 以上	圖書冊數÷27500＋18.8

1. 依規定設置分館或分組者，每一館（組）各增一人。
2. 各學校設有閱覽（參考）室者增置一人，閱覽座位超過 500人者，每超過 500 人再增置一人。
3. 縮影片每滿十萬件增置一人。

資料來源：公立大專校院國立中等學校暨部屬各館所組織員額評鑑總報告，頁 35 。

總員額：[(服務人數÷比率＋累退差額)× 0.3 ＋[(圖書冊數÷比率＋累退差額)× 0.7]。

而各大學准此草案於民國七十三年十二月二十一日擬定大專院校圖書館員額計算公式如下：

應得總員額＝基本員額＋(服務人數÷ 500 × 0,4)＋(資料數量÷ 7,500 × 0.4)＋(每週開放總時數÷ 40 × 0.2)

此公式中的基本員額＝館長＋分組數＋依規定設置分館數＋(如現有員額三十人以上，另加秘書一人)。

不過，教育部並未據此草案完成立法，寬列各大學圖書館的員額，良以爲憾。如前節所述，由於圖書館工作人員平均服務的人數過多，造成服務品質的低落，亟盼決策單位能重視此問題。

四、圖書館組織規程之研議

以美國大學圖書館爲例，館長之下有三位副館長(一司參考服務，一司館藏管理，一司技術服務)，且各有其秘書，佐理煩瑣的行政工作。反觀我國體制，館長之下卽是組主任，沒有副館長和秘書的編制，當館長出外開會，無一人可以掌握全局，妥善督導；平時館長也因必須周旋於細小的行政業務，疲於奔命，無法靜下心來，籌劃構思，改進圖書館的整體業務發展。

其次，圖書館業務日趨多元化，負荷量已超過目前工作人員能夠負擔的程度。但是我國由於大學規程、組織員額的限制，始終無法彈性運用現有人力，重組分編，使更具效率，或增加人員，解決目前困境，影響館務甚鉅。

民國七十三年四月十九日修正頒布之「大學規程」，第十二條明列「大學圖書館除置館長外，分設採購、編目、典藏、閱覽四組，各置主任一人，編審、組員、辦事員、書記若干人」，對大學院校圖書館的組織編制有所規定，雖然有助於其健全發展，但在組別的名稱上仍然過於拘泥、保守、没有彈性，譬如期刊股的作業已日趨複雜，故台大圖書館將其獨立出來，但是國立中正大學籌備處於民國七十七年報部的圖書館組織員額編制表仍被修改成原來的四組。

有鑑於圖書館自動化的日趨重要，系統資訊組的成立，台大已有先例；而圖書館學以外的背景，如資訊工程等特殊技術人員，亦是圖書館必須網羅的對象，如果一昧以「書記」、「辦事員」等低層次的名義聘用，委實無法補缺。此外，各大學圖書館無論規模大小、性質，均以「採購、編目、閱覽、典藏」硬性編組，非但削足適履，亦無法展現各館應有的特色。職是之故，大學圖書館組織規程實有再商榷的必要。

五、圖書館員資格的問題

自從民國七十四年五月「教育人員任用條例」公布實施以來，國立大學圖書館紛紛面臨「人才荒」的恐懼，週有館員出缺，就幾近癱瘓，小館尤然。因受館員考試資格的限制，無法及時遞補，造成懸缺，以致嚴重影響館務，民國七十八年二月全國圖書館會議的提案討論上，有許多提案均針對此問題而發。

根據目前考用作業，凡經考試錄取者，須立即接受分發，有了基礎及實務訓練後（即參加公務人員兩週的講習課程及一年的實習訓練），方能取得及格證書，因此各館遇缺，自行求才之機會微乎其微，且每年考試及格者，其中不乏在職人員，往往請求分發至原任職單位進行實務訓練，致使實際接受分發人員不敷支配，而造成出缺單位徒然報缺而分發無人之憾事。

另外一方面，各出缺單位在報缺之後，只能被動接納考試分發人員，而無法要求適合該出缺職務之特殊條件(如醫學圖書館、藝術圖書館或科技圖書館等)，亦無法掌握一年實務訓練期滿後，該員之去留，致使各出缺單位不敢貿然報缺，只得暗中查訪，透過各種管道「挖角」。如此一來，惡性循環，使得考試及格之館員名額更不夠分配。長此以往，將影響我國大學圖書館整體之發展與運作。張鼎鍾教授曾建議：「若必須要經考試來甄定資格，亦應比照其他專業人員如律師、醫師等給予執照檢定考試㉜。」此外，亦有人建議考試院定期舉辦「圖書館專業人員資格考試」，凡通過考試者，即具有「專業圖書館人員資格」，各大學圖書館遇有缺額時，即可依業務需要進用該類人員遞補。此方法的優點有二：

㈠各出缺單位可視業務需要，選擇具有專業資格並有特殊技能之人員遞補缺額。

㈡圖書館專業人員資格考試，不受各館報缺名額之限制，具有儲才之功能，且使較多之圖書館學系、所畢業生「學有所用」。

六、大學圖書館圖書損耗率之訂定

圖書之損耗率，一直是困擾各圖書館之一大問題，因爲圖書屬於國有財產，必須妥善保管，不能有所缺失遺漏，然而各大學圖書館實無法完全避免書籍之遺失，更何況圖書註銷(Weeding)又是館藏管理必要之一環，因此造成各圖書館典藏工作人員之矛盾與恐慌，不敢輕易淘汰不合時宜之圖籍。爲使圖書館之實際藏書量與帳面相符，圖書館法宜明訂一合理之圖書遺失比率，俾使各館在合法之規定下處理遺失之書刊，並定期註銷年代已久之舊籍，以維持館藏之水準。

以上各點是就管見所及，略加分析，圖書館的工作千頭萬緒，大學圖書館的經營，更是百事待舉，尤其在邁向資訊社會的今天，屢有許多令人困擾的問題。但是，就目前國內圖書館界蓬勃景象而言，大學圖書館的從業人員必能開創光明的遠景。

附　註

❶ 中華民國教育統計(民國77年)(臺北市:教育部印行,民國77年),頁IX。

❷ 王振鵠、王錫璋,「三十五年來的圖書館事業」,中國圖書館學會會報,第四三期(民國77年12月),頁11。

❸ 中華民國圖書館年鑑(臺北市:國立中央圖書館,民國70年),頁341。

❹ 胡家源,「三十年來的大學及獨立學院圖書館」,中國圖書館學會會報,第三十五期(民國72年12月),頁33-51。

❺ 何光國,「我國十六所大學圖書館規模大小及服務條件之統計分析」,中國圖書館學會會報,第三十六期(民國73年12月),頁65-92。

❻ 王振鵠等著,建立圖書館管理制度之研究(臺北市:國立中央圖書館,民國71年)。

❼ 大學法,中華民國七十一年七月三十日總統(71)臺統(一)義字第四三八號令。

❽ 楊美華,「我國公共及大專圖書館的人事規劃研究」,中國圖書館學會會報,第四十期(民國76年6月),頁33。

❾ 雷叔雲等合著,臺閩地區圖書館現況調查研究(臺北市:國立中央圖書館,民國71年)。

❿ 同❽,頁35。

⓫ 同❽,頁35。

⓬ 同❽,頁36。

⓭ 民國六十八年十二月中國圖書館學會第二十七屆會員大會通過之「大學及獨立學院圖書館標準」第二章第十一條。

⓮ 民國六十八年十二月中國圖書館學會第二十七屆會員大會通過之「大學及獨立學院圖書館標準」第四章第二十條。

⓯ 第二次中華民國圖書館年鑑　(臺北市:國立中央圖書館,民國77年),

頁 40 。

⑯ 同⑮。

⑰ Beverly Lynch, "University Library Standards," *Library Trends* 31 (Summer 1982) : 33-47.

⑱ 胡述兆，「從『美國大學圖書館標準』看我國大學圖書館的館藏資料」，圖書館學與資訊科學，第八卷，第二期（民國 71 年 10 月），頁213-220 。

⑲ *Standards for College Libraries* (Chicago: Association for College and Research Libraries, 1985).

⑳ 聯合報，民國 77 年 6 月 19 日 11 版。

㉑ 同❹，頁 34 。

㉒ 中國圖書館學會第三十五屆年會專題演講。

㉓ 李德竹，「我國圖書館自動化資訊系統發展之探討」，中國圖書館學會會報，第四十三期（民國 77 年 12 月），頁 110 。

㉔ DOBIS/LIBIS/TALIS 淡江圖書館自動化系統（臺北市：淡江大學，民國 77 年）。

㉕ 「我國圖書館作業自動化及資訊網路建立因素之探討研究計畫報告」，（臺北市：行政院文化建設委員會，民國 75 年），頁 69 。

㉖ 謝寶煖，「大學圖書館內部空間配置之研究」，國立臺灣大學圖書館學研究所碩士論文，民國 77 年。

㉗ 圖書館規劃與媒體技術（臺北市：國立臺灣師範大學圖書館印行，民國 68 年）。

㉘ 鬼頭梓講，黃世孟譯，「專題演講，圖書館建築設計的原則」國立中央圖書館館刊，新七卷一期（民國 73 年 9 月），頁 325-329 。

㉙ 大學及獨立學院圖書館標準，第五章第廿九條。

㉚ 潘冀，「一年來的圖書館建築——以中原大學新館爲例」，國立中央圖書館館訊，八卷四期（民國 75年 2 月），頁 404-405 。

㉛ 國立中央圖書館臺（77）圖文字第八八五號函（民國 77 年 11 月 29 日）。

㉜ 全國圖書館會議討論提案。

第十章　結　論

第一節　大學圖書館的功能

中國圖書館學會於民國六十八年制訂了「大學及獨立學院圖書館標準」❶，其中規定大學院校圖書館之主要任務有三：

1. 蒐集與保藏圖書資料，並妥加整理以便利用。
2. 利用圖書館資料支援教學及研究計畫，培養學生閱讀習慣、啓發學生研究興趣。
3. 舉辦各項推廣服務，以促進社區文化與學術之發展。

要之，大學圖書館除了具有文化性、教育性、資訊性與休閒性等四種一般性功能外，更具有以下的教育功能：

1. 統一規劃、管理圖書資料作爲全校的教學資料中心。
2. 配合教學，提供參考諮詢及閱讀推廣服務，作爲學習中心。
3. 合作交流，資源共享，作爲一資訊傳輸中心。
4. 實施圖書館利用教育，培養學生自習能力，作爲一圖書館教育輔導中心❷。

一所大學就是一個豐富的館藏。圖書館是一個教學單位，因此有人形容圖書館是大學的「第二教室」，具有承擔及輔助教學的任務。許多國家把大學圖書館看作「大學的心臟」，「學習的中心」，他們認爲要辦好一所大學，首先要選好一位校長和一位圖書館館長。人們衡量一所大學的學術水平常把圖書館的質量作爲標準之一。早在六十多年前,英國大學認可委員會(British University Grants Committee) 之報告中即指出 :「評估一所大學的特色和功效的標準，在於其中心機構一大學圖書館一的良窳；圖書館的充分發展是大學最重要且必備的要件。」❸

長久以來，我國之大學圖書館始終未能發揮其應有的功能，扮演的僅是「讀書館」的角色，供學生準備考試的場所，造成此現象的原因有下：

1. 我國大學圖書館應有的敎育功能一向未曾受到合理的重視。
2. 圖書館服務在現行大學敎育制度和敎學方法下，未能顯示應有的敎育功能。
3. 大學圖書館現有人力、經費的條件遠不足以適應其發揮應有敎育功能的需求❹。

大學圖書館經營的成功與否繫於三個因素：一是支持圖書館業務的行政主管，二是富有使命感的圖書館員。三是懂得利用圖書館的讀者。

就如同其他的機構一樣，圖書館功能的發揮，需要學校行政的支援配合，校長重視圖書館，圖書館的工作就事半功倍，「巧婦難爲無米之炊」，沒有經費的支持，所有的理念都難以落實。

其次，圖書館計畫的擬訂，業務的規劃，各項服務的推展，在在需要專業或曾受過訓練的館員。「廿一世紀圖書館」一文的作者指出：今後的圖書館員若要勝任圖書館的工作必須有三分之一是行政管理者，三分之一是研究者，三分之一是敎師。因爲處於日益複雜的學術機構裡，如果沒有行政管理的長才，就無法縱橫捭闔，安身立命於其他行政人員的行列中；如果沒有精闢的理論背景作爲後盾，就無法贏得別人的尊敬；也惟有「誨人不倦」「有教無類」的愛心與熱忱，才能發揮服務的精神❺。

最後，空有前二者仍然無法成就一所健全的圖書館，因爲大學圖書館非但是人類知識的儲存所，更是人文智慧的交會地，惟有教師對於圖書館功能的體認，學生懂得利用圖書館，才能充分發揮圖書館的功能。

第二節　大學圖書館未來之發展趨勢

一、技術服務與讀者服務的互動

圖書館作業一般分爲技術服務與讀者服務兩種，前者爲後勤支援活動，後者爲前線短兵相接式的活動。由於關注對象與工作經驗的不同，技術服務部門與讀者服務部門的工作人員各有其迥異的哲學理念與職業性格。大體說來，前者重視的是書目控制、分類編目的細則，遂養成其保守、嚴謹的個性，而後者由於與外在世界的接觸較爲頻繁，故有開放、熱情的傾向，也因此二者常因爲觀念的不同，而有封閉、各自爲政的現象。

然而，就圖書館整體服務的立場來看，二者的關係非常密切，以館藏發展而言，技術服務人員常透過讀者服務部門的人了解讀者的資訊需求；就參考工作來說，如果没有深厚的分類編目基礎，就無法回答複雜的諮詢問題。因此，彼此之間知識的交流與經驗的分享是極其重要的❻。有鑑於此，歐美大學圖書館近年來都時興「讀者服務部門與技術服務部門」工作人員的輪調，有些圖書館工作人員甚至半天在讀者服務部門，半天在技術服務部門。

二、行銷觀念在圖書館的應用

民國七十五年中國圖書館學會第三十四屆會員大會典禮致詞中，李總統登輝先生曾經指出：「今天經營圖書館事業，除要具有積極主動的服務觀念外，更要有現代化企業經營的理念及方法，方能發揮圖書館更大的功能❼。」

所謂「企業經營」包括市場分析、行銷策略，以及消費者研究等觀念。圖書館經營的最高準則既然是「在最適當的時候，提供最適當的資料，給最適當的讀者」,更要引進有效的行銷方法，掌握群衆心理，擧辦各種推廣活動。

此外，亦必須注意圖書館管理中的公共關係策略，所謂「公共關係」(Public Relation, PR) 指的是運用大衆傳播媒體，建立起圖書館與外在世界溝通的橋樑，促進彼此資訊的流通與相互了解，塑造完美形象，從而贏得信賴，提高圖書館在社會中的地位。

做爲一個公關人員，除了要迅速掌握社會的脈動，對政治、經濟、行銷、廣告、傳播等範疇的學術有一定程度的了解外，溝通與談判技巧良好，推展公關工作時，秉持熱忱的服務態度，培養關懷社會的人文素養，也是必要的。

三、引進現代科學管理的方法

利用現代化科學管理的手段加强圖書資訊系統的功能，充分發揮圖書館的潛能。所謂科學管理指的是：

1.技術的標準化

技術規格的標準化是管理的第一步。

2.組織的合理化

以最經濟的人力取得最佳效果。

3.工作的科學化

建立統計制度，進行數據分析。

4.人員的專業化

必須具備圖書館學和資訊科學的基本訓練。

科學管理的主旨，即在於以最小的「投入」(input) 獲得最高的「利潤」。爲了使讀者能最有效地利用圖書館，應主動地創造各種有利條件，以最便捷的方式向讀者提供最大量的有用資訊。

四、資訊技術對大學圖書館的衝擊

資訊技術 (Information Technology) 在圖書館的應用領域將有下列幾項：

(一)電訊技術 (Telecommunication)

通信網路是一種遠距離資訊傳輸和大宗數據傳輸系統，它的興起非常迅速，如區域網路 (Local Area Network)、全國性通信網路、光纖網路 (Optical Fibers Network) 和衞星通訊技術等爲資訊的傳輸提供了多重管道，也提高了資訊系統的傳輸速度。同時，通訊費用的日趨降低，新技術的不斷採用，爲圖書館自動化提供了新的選擇。

利用電腦及相關的電信設備(如桌上排版desktop publishing ）以及文書檔案管理系統可以改善圖書館的行政及館藏管理、館藏維護等問題。而電子郵遞（Electronic Mail）、電傳會議（Teleconferencing）之盛行亦帶動了圖書館的辦公室自動化（Office Automation）。

日後，讀者將可經由校區電腦網路，在圖書館內或圖書館外的終端機上查詢目錄資料，線上公用目錄系統（Online Public Access Catalog, OPAC）將包括地方性、全國甚至國際性的書目資料。

㈡電子印刷（Electronic Publishing）

目前，市面上已有不少電子印刷出版品出現，如美國化學學會所出版的十九種期刊已製成電子印刷版本，讀者可經由電腦網路讀取這些期刊，每小時連線費用約為美金一百元。同時，英國的梅德資訊網路（Mead Data Network）提供了讀者一百種以上的報紙、雜誌、時事通訊等資訊服務。易言之，許多資訊系統所檢索的不僅是書目資料，而是全文數據庫（Full-text Data）。

一九八一年美國所做的一項研究❾，曾如此預測電子印刷未來的成長狀況：公元二千年時，百分之五十的摘要、索引服務，四分之一的期刊，百分之五十的參考工具書和技術報告將以電子印刷的版本出現。一般咸認，電子印刷出版品具備以下的優點：1.節省編輯時間。2.資料時效高。3.改善資料的檢索。4.節省空間。5.增加資料的互動性。6.使用者可在辦公室接收資訊❿。因此，圖書館採購電子印刷出版品已是必然的趨勢。

㈢光　碟

光學存貯技術的不斷發展，爲出版業提供了廣濶的遠景。光碟（CD-ROM）整合了紙張、微縮影媒體及線上檢索三種傳統圖書館資訊服務之特色，具備了可移動性、堅韌性、傳輸能力、大容量甚至於低價位的優點。並可提供數據（文字）、影像、聲音各種訊號輸出，使得資訊的傳遞方式更爲活潑生動。

光碟技術在圖書館的應用有讀者服務和技術服務兩方面。前者如各類型參考工具書、縮影摘要索引及專題書目之編製等，後者如回溯性建檔、購前書目查證(BIP plus)及編目事宜等。

一九八八年銀盤公司（Silver platter）所發展成功的Multiplatter 具有光碟區域網路系統的功能，使得圖書館間可同時聯機檢索某一個光碟片，節省了圖書館重複購置的費用。此外，黑爾(Hills)也預測至一九九〇年時每年大約會有一萬五千至二萬件教育性的光碟出版品⓫。

㈣人工智慧與專家系統的研究

簡單的說，人工智慧(Artificial Intelligence)可說是一門讓機器在動作或下結論時，表現類似人類智慧的學問。至於專家系統(Expert System)，則是人工智慧的分支。它是一種電腦程式，能在人類專家的水準上執行特殊的專業性工作。

專家系統通常包括四部分：1.知識庫（Knowledge base）。2.推論的機器（Inference engine）。3.通話模組(Dialog module)。4.資料庫（Data base）。就圖書館之應用而言，在編目、對架(shelf-listing)、參考諮詢等方面較爲奏效⓬。

第三節　建議事項

一、擬定圖書館長短程發展目標

經營一所圖書館，首先要有一個規劃。長期發展計畫的目的在樹立明確的目標，擬定政策方針，提出具體的辦法措施。規劃的作用在動員全體員工，朝旣定的目標前進。而健全的規章制度更是執行工作計畫的保證，各個館員除了要明瞭組織的任務、本身的職責外，更要遵守工作規範。

二、建立圖書館評鑑的制度

在規章制度中，建立嚴格的考評是十分重要的。美國和日本等各國大學圖書館都時興「年度報告」(Annual Report)，回顧一年來的工作，以各種統計圖表、數據來總結各方面的工作績效，這是值得我們學習、借鑒的。以美國印第安那大學圖書館爲例，每個館員在年終時都必須提出報告說明一年來在研究、工作和服務等三方面的貢獻，此份報告除了可以做爲工作考核、薪資調整等用途外，亦可視爲「目標管理」之溝通工具。

三、成立圖書館委員會

國外大學常有「圖書委員會」、「圖書館委員會」、或「圖書館諮詢委員會」，成員除圖書館館長外，有各院系之教授代表，其職責向以研討圖書館業務之重大興革事項爲原則，除了業務上的監督與考核外，亦富有溝通的功能，其主要任務有下：

1. 就圖書館發展計畫提供諮詢與意見。

2. 評估各項圖書資訊服務的標準。

3. 草擬圖書館經費之分配與運用。

4. 審議總圖書館與系館之間的圖書採購事宜。

5. 研討有關本校圖書資訊服務之重大問題。

四、强化館際合作組織，促進資源共享

社會的進步與科技的高度發展，使得資料快速而大量地增加，如今没有一所圖書館能將各方面資料蒐集完整，惟有透過合作採訪、合作編目、合作典藏、合作流通等合作制度，才有可能彌補各館之間人力、物力、財力的不足，而達到資源共享的目的。誠如楊司長國賜先生在全國圖書館會議專題演講所指出的「加强館際合作組織的功能及其合法地位，以提高服務效率，達成資源共享⑬。」對於現有的館際合作組織，應給予法定的地位及經費支持，並且設置常設的工作人員，以强化其功能，提昇服務品質。

㈠成立專責單位負責執行全國大學圖書館資源的合作事宜。

為使合作計畫的推動更具效力，應確定一個領導單位，方能對全國大學圖書館資源的利用，進行統一的規劃和輔導，並擔任居間協調的重要任務。

㈡全盤性統籌規劃，訂定詳實可行的合作綱領。

合作計畫之擬定，應整體考慮，務必顧及目前狀況及未來發展，釐定近、中、長程之發展方向；而合作綱領中，尤應詳細載

明合作的意義、目標、方法、範圍、程序、以及權利、義務等事項，以爲合作遵循之準則與依據。

㈢建立合作共識，加強合作意願。

各合作單位首先必須建立平等互惠的合作精神，捐棄本位主義的自私心理，彼此在分工合作的共識上分擔責任，分享成果。

㈣利用現有基礎，擴增合作項目。

以目前國內全國三個合作組織在館際互借、影印服務上的優良基礎，逐步增加其他合作業務，如合作館藏發展和合作編目等。

五、充實大專院校圖書館資源，充分支援教學與研究之需求。

館藏是圖書館的基礎，所以在規劃館藏時，要先針對各館的特色，有系統地選擇與蒐集，同時透過資訊網分享他館的資源。爲落實這個理想，須注意下列幾點：

㈠請教育部定期評鑑，促使各校注意圖書館館藏之發展。

自民國七十一年以來，未聞教育部有評鑑大專院校圖書館的計畫。雖然目前評鑑系所時，均列有圖書室、系館一項，但往往僅注重數字遊戲，不能深入探討問題的癥結所在，更何況各系常有自總館借書來裝門面的現象。

㈡建立校際之間的合作制度。

宜擴充館際互借的層次，使各校師生均能彼此利用對方的館藏和設施。如交通大學與清華大學目前已有互相流通的辦法。

㈢圖書館之經費應佔全校總預算一定的比例。

大學圖書館的總經費佔大學預算的比例關係到圖書館的運作，美國圖書館協會認為維持一個高質量的圖書館所需經費的最低限度是百分之五⓮。我國的標準亦明訂「各校每年編列之圖書館經費不得少於全校經費預算之百分之五」⓯。但是以我國目前的一般大學圖書館經費而言，似不及全校預算的百分之一。唐斯和休斯曼的報告指出：美國大學圖書館經費和大學行政與教育經費的百分比，分布範圍在1.6％至8.6％之間，在五十個主要大學中，平均數為3.5％⓰。

教育部每年雖然核撥各大學院校圖書儀器設備預算，但各校圖書館分配之「圖書館經費」常有不足之現象，以致嚴重影響教學及研究工作。歷次館長年會上，均有「請政府寬列圖書經費」的呼聲，殊不知即使就教育部核撥的圖書經費而言，許多大學的主管人員仍然缺乏「專款專用」的觀念，遑論各理工科系、所主管均有將「圖書儀器設備費」全數購買儀器設備的傾向。

六、推動「學術圖書館館藏發展計畫」，合作採訪完整之圖書資訊。

由於社會之進步與教育之普及，讀者對資訊之需求日益殷切而多元化，然而各大學圖書館卻因面對出版量的急速增加，人力與經費又普遍不足，致較之往常更難廣收各方資料以滿足讀者對資訊的需求。為因應這些變遷，大學圖書館應集合各館有限人力，有計畫的分工合作採訪，推動全國大學圖書館之合作館藏發展計畫，期能以最有限的經費，蒐集到最完整的資訊。

館藏資料的規劃指的是文獻資源在地理位置上的分布和配置。它包括兩層含義：一是指文獻資源在空間分布上的實際狀況，一是指人們利用合作、協調以改變其客觀的分布狀況。換言之，經由有計畫、有系統地進行資源整合的工作，以最經濟的方法充實各館館藏，並使全國館藏得到最完善的利用。

是故，全國館藏之發展綱領非但要考慮各單位目前的藏書情況，亦必須顧及各單位之間的聯繫性，也就是說，在釐訂整體架構對個別單位的制約之餘，也要思及個體對組織的適應性。進一步而言，館藏發展必須以各館之需求為前提，以資源的充分利用為目標。因此在規劃全國大學圖書館的館藏發展時，必須確立資源共享的原則與方法，各館之間亦必須履行其應盡的職責，不可有依賴的心理。此外，圖書館界亦必須密切注意出版界的動態，與各種研究機構取得聯繫。

㈠建立各種統計數據

項目包括館藏特色，各類館藏數量、比例、成長率，經費分配，資料淘汰率及讀者使用率。以客觀的數據，作為合作採訪業務規劃的依據。

㈡擬定合作館藏計劃綱要，作為各合作館間彼此共同遵循的準則，並可根據綱要所訂內容，對各館館藏進行評估。

㈢分工採訪應建立「核心館藏」與「合作館藏」之原則與標準，以避免基本館藏不敷使用之現象。

㈣合作採訪的方式，可就主題、資料類型、語文分工。

㈤外文書刊之訂購與徵集可集中處理。

㈥加强贈送及出版品交換之業務。

總而言之，大學圖書館應注意整體文獻資源的合理布局和開發利用。

七、提昇圖書館專業人員的素質與地位，以謀圖書館工作的有效發展。

學者專家認爲：工作的品質，是人員素質的反映；沒有好的人員，不會有好的工作表現。因此，爲改進圖書館的服務，發揮圖書館的功能，對於圖書館人員素質的提高，爲當前圖書館界刻不容緩的要務。

尤有進者，提高圖書館員的專業教育水準，始能勝任圖書館的專業工作。因此，圖書館的專業教育，除了應與時俱進，不斷地增加及修訂其課程內容外，亦須負起圖書館工作人員的再教育任務，如此方能提昇專業工作的服務品質，並進而提高圖書館工作人員的地位。

圖書館員之工作性質旣富教育性（如教師），亦富專業性（如醫師、律師、建築師），具有專業知識者，不應視爲一般文書行政人員。如依目前規定必須進用高普考及格人員，將不能充分利用到圖書館的專業人員，故必須重新研議圖書館專業館員任用資格及辦法，使供需平衡，教育與任用配合。

此外，爲了讓館員有昇遷之道，似宜比照淡江大學圖書館的模式或研究人員之編制，有研究助理館員、助理研究館員、副研究館員及研究館員之等級，在組織規程中，將圖書館專業性職位明文列入，並訂定專業人員培訓、考選、任用、升遷、進修之具體辦法。

第四節　總　結

「圖書館本身就是人類歷史發展到一定階段的產物。」它隨著時代的發展而變化，圖書館事業不可能孤立地成長。圖書館由於它特殊的社會功用，必然要適應時代，迎合時代，隨著時代的脈動而調整脚步，使圖書館的事業得到應有的發展。因此國際圖書館學會聯盟(IFLA)第五十二屆年會的主題是「圖書館員的新地平線—迎向廿一世紀」("The New Horizons of Librarianship Toward the 21st Century")，再次强調「圖書館和時代」的重要性。

圖書館事業賴以發展的外在基礎是社會環境，因此必須密切注意現有的「大環境」——包括政治、經濟、人口、文化、教育、和科學技術等——能為圖書館事業的發展提供多少有利的條件？這些外在環境是圖書館發展的「制約」。故圖書館的發展必須與「時代」相契合，冀能適應環境、進而改造環境。

就內部基礎而言，圖書館存在的目的旣在滿足社會的需求。其價值不在創造和生產有用的精神產品，而在於如何有效地開發和利用這些現有的資源，以推動國家科學、文化、教育和經濟的發展。所以探討圖書館功能應如何發揮的同時，亦必須注意它的「政治資源」、「機會成本」和「經濟效益」。

阮加納桑最後一個法則是「圖書館是一個持續成長的有機體」。

圖書館這個「有機體」若要恆久保持其活生生的形態，勢必要持續不斷地成長，且永遠呈現合宜的形象——從最傳統的圖書館到最現代化的資訊中心，一直到未來可能有的任何形式變化。圖書館代表的僅是一個「共名」，它所蘊含的本質、共相將永遠是人類蒐集、整理、傳播知識的表徵⑰，朝向知識和眞理邁進的途徑⑱。

「蜀路難，不走更難」，大學圖書館的經營雖然不易，但是卻是值得終身全力以赴的目標。願我們均能以千古之心，經營這千古事業。

附　註

❶ 民國六十八年十二月中國圖書館學會第二十七屆會員大學大會通過之「大學及獨立學院圖書館標準」第一章。

❷ 王振鵠，「專科學校圖書館的教育功能」，專科學校圖書館館務發展研討會，民國七十八年六月七日。

❸ Ralph Eugene Ellsworth, *Planning the College and University Library*, 2nd ed. (Boulder, Colo: Pruett Pr, 1968).

❹ 張東哲,「我國大學圖書館教育功能提升方法的探討」慶祝藍乾章教授七秩榮慶論文集（臺北市：文史哲出版社，民國 73 年），頁 158-160。

❺ Clyde Hendrick, "The University Library in the Twenty-first Century," *College & Research Libraries* (March 1986): 129.

❻ 雷叔雲，「技術服務與讀者服務的互動說」，中國圖書館學會會務通訊，第五十四期（民國 76 年 1 月），頁 41。

❼ 李登輝，「中國圖書館學會第三十四屆會員大會典禮致詞」，民國75年 12 月 7 日。

❽ M. P. Day. "Electronic Publishing and Academic Libraries," *British Journal of Academic Librarianship* 1 (Spring 1986): 53-70.

❾ D. W. King et. al, *Telecommunications and Libraries : A Primer for Librarians and Information Managers* (Place: Knowledge Industy, 1981).

❿ 李素眞，「淺談電子印刷出版品對未來圖書館服務功能之影響」，臺北市立圖書館館訊，六卷三期（民國 78 年 3 月），頁 34。

⓫ S. Hills, "Electronically Published Materials," *Electronic Publishing Review* 5 (1985): 63-79.

⓬ Harold Borko, "Artificial Intelligence and Expert Systems, Research and Their Possible Impact on Information Science Education," *Education for Information* 3 (1985): 103-114.

⓭ 楊國賜，「健全圖書館事業，發揮社會教育功能」，全國圖書館會議專題演講，民國78年2月21日。

⓮ Beverly Lynch, "University Library Standards," *Library Trends* 31 (Summer 1982): 33-47.

⓯ 民國六十八年十二月中國圖書館學會第二十七屆會員大會通過之「大學及獨立學院圖書館標準」第三章第十四條。

⓰ 同⓭。

⓱ Joseph Z. Nitecki, "Public Interest and the Theory of Librarianship," *College & Research Libraries* 25 (July 1964): 269 - 278.

⓲ 同❺，頁131。

參考書目

一、中文書目

王中一　「我國大學圖書館的組織體系與編制」。臺北市立圖書館館訊 4 卷 4 期 (民國 76 年 6 月)，頁 11-12。

王中孚　「對大學圖書館現階段發展的建議」。教育資料與圖書館學 20 卷 4 期 (民國 72 年 6 月)，頁 374-384。

王中孚　「國立政治大學中正圖書館選用閱覽座位型式與規模分析報告」。中國圖書館學會會報 29 期 (民國 66 年 11 月)，頁 150-163。

王臣煌　「國立成功大學圖書館圖書出納電腦系統建立之研究」。國立成功大學工業管理研究所，碩士論文，民國 69 年。

王巧燕　「圖書館合作採訪制度發展史之研究」。中國文化大學史學研究圖書文物組，碩士論文，民國 76 年。

王振鵠　圖書館學論叢。臺北：臺灣學生書局，民國 73 年。

王振鵠　「三十年來的臺灣圖書館事業」。圖書館學與資訊科學 1 卷 2 期 (民國 64 年 10 月)，頁 41-69。

王振鵠　「臺灣大專圖書現狀況之調查研究」。圖書館學與資訊科學 2 卷 1 期 (民國 65 年 4 月)，頁 41-69。

王振鵠　「大專院校圖書館問題」。中國論壇 1 卷 9 期 (民國 65 年 2 月)，頁 30-33。

王振鵠、王錫璋　「三十五年來的圖書館事業」。中國圖書館學會會報 43 期 (民國 77 年 12 月)，頁 3-15。

王彩平　「國立臺灣大學的參考服務」。參考服務研討會〔論文集〕（民國 73 年），頁 40-50。

王梅玲　「大學圖書館期刊訂購實務之探討」。臺北市立圖書館館訊 3 卷 3 期（民國 75 年 3 月），頁 20-28。

王梅玲　「國立臺灣大學工學院聯合圖書室期刊使用研究」。國立臺灣大學圖書館學研究所，碩士論文，民國 74 年。

王國強、洪妃　「輔仁大學建立總圖書館之擬議」。時報新聞週刊 15 期（民國 75 年 6 月），頁 81-123。

尹玫君　「我國大學圖書館建築與設備之調查報告」。國立政治大學教育研究所，碩士論文，民國 69 年。

尹玫君　「大學圖書館建築的計畫及原則」。臺灣教育 346 期（民國 68 年 10 月），頁 40-47。

毛慶禎　「大學圖書館員的教員地位之研究」。國立臺灣大學圖書館學研究所，碩士論文，民國 73 年。

宋雪芳　「我國大學圖書館參考服務發展之研究」。中國文化大學史學研究所圖書文物組，碩士論文，民國 75 年。

李明珠　「大學圖書館的建築」。臺灣教育　346 期（民國 68 年 10 月），頁 40-47。

李美幸　「參考服務在大學圖書館的重要性」。社教系刊 9 期（民國 70 年 6 月），頁 51-56。

李威儀　「大學圖書館之研究」。國立成功大學建築研究所，碩士論文，民國 75 年。

李德竹　「我國圖書館作業自動化及資訊網路建立因素之探討研究計畫報告」。行政院文化建設委員會，專題研究報告，民國 75

年。

李德竹　「我國圖書館自動化資訊系統發展之探討」。中國圖書館學會會報 43 期（民國 77 年 12 月），頁 107-123 。

李德竹　「我國學術研究圖書館員作業自動化認識與態度」。圖書館學刊 5 期（民國 76 年），頁 13-36 。

何光國　「我國十六所大學圖書館規模大小及服務條件之統計分析」。中國圖書館學會會報 36 期（民國 73 年 12 月），頁 65-92 。

何光國　「大學生、教授、圖書館」。中央日報（民國 72 年 12 月 13 日），10 版。

何錦堂　「圖書館資訊尋取系統模式」。淡江大學資訊工程研究所碩士論文，民國 72 年。

余俊傑　「比較大學圖書館和專門圖書館」。國立臺灣大學圖書館學系成立廿週年紀念特刊（民國 70 年 12 月），頁 96-102 。

吳文津　「學術圖書館」。書府 6 期（民國 74 年 8 月），頁30-34 。

吳明德　「淺談大學圖書館的利用指導」。中國圖書館學會會報 36 期（民國 73 年 12 月），頁 117-126 。

吳明德　「大學圖書館利用指導的設計——界定問題、訂定目標、評鑑」。國立中央圖書館館刊新 18 卷 1 期（民國 74 年 6 月），頁 59-69 。

吳茜茵　「我國師專學生利用圖書館狀況之調查研究」。臺北師專學報 8 期（民國 61 年 1 月），頁 55-166 。

吳淑芬　「我國人文社會及科技館際合作組織館務互借現況及問

題之研究」。國立臺灣大學圖書館學研究所，碩士論文，民國76年。

吳　寬　「區域網路(LAN)在圖書館的運用」。國立中央圖書館館刊新二十卷，第二期(民國76年12月)，頁115-126。

吳瑠璃　「我國大學圖書館利用教育施行狀況調查研究」。社教系刊11期(民國72年6月)，頁71-76。

吳瑠璃　「大學圖書館利用指導的實施方式」。國立中央圖書館館刊新18卷1期(民國74年6月)，頁70-77。

沈寶環　圖書、圖書館、圖書館學。臺北：臺灣學生書局，民國72年。

沈寶環　圖書館學與圖書館事業。臺北：臺灣學生書局，民國77年。

林美和　「師大學生利用圖書館之態度研究」。社教系刊7期(民國68年6月)，頁73-86。

林呈潢　「我國書目控制工作及其發展」。中國文化大學史學研究所圖書文物組，碩士論文，民國72年。

林坤成　「圖書資料管理系統之自動化」。淡江大學資訊工程研究所，碩士論文，民國72年。

范承源　「美國大學圖書館如何推展教育的功能」。美國研究14卷2期(民國73年6月)，頁85-109。

范承源　「談臺灣大專圖書館專業人員的培養」。國立臺灣大學圖書館學系成立二十週年紀念特刊(民國70年12月)，頁55-59。

范承源　「大學圖書館參考服務的缺失與改進」。中國圖書館學會會報 35 期(民國 72 年 12 月),頁 113-109。

范承源 「美國大學圖書館經費短絀與其主要因應的方法」。美國研究(民國 76 年)。

范承源 「高等教育與圖書館:美國大專圖書館重大問題的探討」。美國研究 14 卷 2 期(民國 73 年 6 月),頁 85-109。

胡述兆 「從『美國大學圖書館標準』看我國大學圖書館的館藏資料」。圖書館學與資訊科學 8 卷 2 期(民國 71 年 10 月),頁 213-220。

胡家源 「三十年來的大學及獨立學院圖書館」。中國圖書館學會會報 35 期(民國 72 年 12 月),頁 33-51。

胡歐蘭 「六十七年度臺灣大專院校圖書館現況調查分析」。中國圖書館學會會報 30 期(民國 67 年 12 月),頁 97-125。

胡歐蘭 「大學圖書館性能與新發展」。教育資料科學月刊 7 卷 4 期(民國 64 年 4 月),頁 8-10。

胡歐蘭 「二十五年來的大專圖書館」。中國圖書館學會會報 29 期(民國 66 年 11 月),頁 65-73。

胡歐蘭 「國家書目資料庫及其資訊網路之發展」。圖書館學與資訊科學 14 卷 2 期(民國 77 年 10 月),頁 193-207。

胡歐蘭 「國家書目資料網之建立與展望」。中國圖書館學會會報 41 期(民國 76 年 12 月),頁 65-73。

徐金芬 「美國國會分類法對於我國大學圖書館的適應性」。社教系刊 8 期(民國 69 年 6 月),頁 76-79。

徐金芬 「我國大學圖書館館員工作滿意程度調查研究」。國立臺灣大學圖書館學研究所,碩士論文,民國 74 年。

徐 興 「從統計數字看輔仁大學圖書館」。圖書館學刊 6 期(民國 66 年 6 月),頁 26-30。

張東哲 「清華大學圖書館業務革新的歷程」。中國圖書館學會會報 35 期(民國 72 年 12 月),頁 345-350。

張東哲 「我國大學圖書館教育功能提升方法的探討」。慶祝藍乾章教授七秩榮慶論文集(民國 73 年 12 月),頁 158-166。

張樹三 「美國俄亥俄大學圖書館行政組織評介」。中國圖書館學會會報 39 期(民國 75 年 12 月),頁 3-8。

張錦郎 「談大學及公共圖書館利用教育」。臺北市立圖書館館訊 2 卷 2 期(民國 73 年 12 月 15 日),頁 2-6。

張慧銖 「大學圖書館的參考服務」。圖書館學刊 12 期(民國 72 年 9 月),頁 59-62。

許小雲 「大學圖書館圖書推介單的設計和應用」。臺北市立圖書館館訊 2 卷 3 期(民國 74 年 3 月 15 日),頁 8-11。

許小雲 「大學圖書館書刊經費控制」。教育資料與圖書館學 23 卷 1 期(民國 74 年 9 月),頁 286-300。

許志堅 「圖書館自動化之結構式方法與系統製作」。國立交通大學計算機工程研究所,碩士論文,民國 69 年。

許建崑 「成敗之際端在人爲:談東海大學圖書館的經營方式」。幼獅月刊 57 卷(民國 72 年 3 月),頁 48-51。

陳海弘 「改進大專圖書館之我見」。國教之友 464 / 465 期(民國 70 年 8/9 月),頁 27-29。

陳怡瑞等 「政大中正圖書館採訪報告」。圖書館學刊 7 期(民國 67 年 7 月),頁 1-5。

陳　芳　「縱橫十萬里，上下五千年：談臺灣大學圖書館的藏書」。幼獅月刊 57 卷 5 期（民國 72 年 5 月），頁 36-39。

陳　豫　「館際互借服務中心的任務與建立模式」。教育資料與圖書館學 26 卷 2 期（民國 77 年 12 月），頁 147-165。

陳　豫　「全國圖書館人員繼續教育之規劃與展望」。臺北市立圖書館館訊 4 卷 3 期（民國 76 年 3 月），頁 17-22。

國立臺灣師範大學圖書館編　圖書館規劃與媒體技術圖書館實務研討會會議記錄。臺北市：中國圖書館學會，民國 69 年。

曹炯鎮　「中韓兩國大學圖書館標準之比較」。中國圖書館學會會報 35 期（民國 72 年 12 月），頁 207-218。

黃世雄　現代圖書館系統綜論。臺北：臺灣學生書局，民國 74 年。

黃世雄　「大專圖書館今後發展的方向」。教育資料科學月刊 10 卷 2 期（民國 65 年 9 月），頁 3-6。

黃世雄　「淡江大學圖書自動化之現況與展望」。國立中央圖書館館刊新 15 卷 1・2 期（民國 71 年 12 月），頁 56-63。

黃冰麗等　「中華民國『全國期刊中心』可行性之研究」。圖書館學的沈思（臺北市：國立臺灣大學圖書館學系，民國 76 年），頁 191-214。

黃秀霜　「理想的師院圖書館」。師友 224 期（民國 75 年 2 月），頁 57-58。

黃純敏　「國立臺灣大學圖書館分散管理機能探討」。國立臺灣大學圖書館學研究所，碩士論文，民國 75 年。

黃麗虹　「我國大學圖書館館員繼續教育之現況」。臺北市立圖書館館訊4卷3期（民國76年3月），頁40-45。

黃麗虹　「我國大學圖書館館員繼續教育之研究」。國立臺灣大學圖書館學研究所，碩士論文，民國75年。

黃鴻珠　「大學圖書館採購國外資料的理論與實務」。教育資料科學月刊12卷2期（民國66年10月），頁20-30。

童敏惠　「大學學習資源中心組織與人員規劃之研究」。國立臺灣大學圖書館學研究所，碩士論文，民國74年。

傅寶眞　「學科專家在蛻變中之大學圖書館」。國立中央圖書館館刊8卷2期（民國64年12月），頁1-8。

傅寶眞　「未來資訊社會中之圖書館與圖書館員——圖書館工作革命之分析及其與社會之關係」。國立中央圖書館館刊 17 卷1期（民國73年6月），頁1-8。

傅寶眞　「參考服務工作在未來資訊社會中發展的趨勢」。國立中央圖書館館刊18卷1期（民國74年6月），頁1-7。

傅寶眞　「學術與研究圖書館在研究與教學上所應扮演的新角色——學科專家的探討」。中國圖書館學會會報 37 期（民國74年），頁63-75。

傅寶眞　「我國圖書館利用教育所面臨的問題與應採取之途徑」。中國圖書館學會會報40期（民國76年6月），頁53-65。

彭　慰　「我國聯合目錄編製之研究」。國立臺灣大學圖書館學研究所，碩士論文，民國74年。

楊美華　「大學圖書館之館藏管理」。教育資料與圖書館學 24 卷4期（民國76年6月），頁390-409。

楊美華　「我國公共及大專圖書館的人事規劃研究」。中國圖書館學會會報 40 期（民國 76 年 6 月），頁 27-52。

楊婉璧　「圖書館員專業地位之探討」。圖書館學的沈思（臺北：國立臺灣大學圖書館學系，民國 76 年），頁 71-80。

趙來龍　「大學圖書館之教育功能」。幼獅月刊 46 卷 5 期（民國 66 年 11 月），頁 53-56。

趙來龍講，陳秀珠記　「大學與大學圖書館」。中國圖書館學會會務通訊 31 期（民國 71 年 10 月），頁 8-10。

蔣篤蒂譯　「大學圖書館期刊淘汰模式——教員與館員選擇之比較」。書府 5 期（民國 73 年 6 月），頁 89-95。

潘華棟　「大學圖書館統一及分權管理之優劣試釋」。國立中央圖書館館刊 13 卷 1 期（民國 69 年 6 月），頁 15-20。

劉昌博　「當前圖書館的任務和作法」。中外雜誌 23 卷 6 期（民國 67 年 6 月），頁 117-122。

鄭玉玲　「LINX自動化期刊管理系統：兼論其在臺灣之可行性」。書府 6 期（民國 74 年 8 月），頁 98-102。

鄭玉玲　「決策支援系統及其在圖書館之應用」。書府 7 期（民國 75 年 6 月），頁 107-122。

鄭玉玲　「我國臺灣地區圖書館採訪自動化現況與需求研究」。國立臺灣大學圖書館學研究所，碩士論文，民國 77 年。

鄭玉玲　「我國圖書館採訪自動化發展途徑之探討」。國立中央圖書館館刊 21 卷 1 期（民國 77 年 6 月），頁 127-141。

盧仁光等　「全國期刊中心可行性研究」。圖書館學的沈思（臺北：國立臺灣大學圖書館學系，民國 76 年），頁 215-228。

盧非易　「期刊評量橫式之建立及其評量結果之分析」。書府 6

期(民國74年8月),頁103-112。

盧秀菊　圖書館規劃之研究。臺北：臺灣學生書局,民國77年。

簡惠伶　「大學圖書館如何專業化」。書府2期(民國69年),頁58-61。

謝寶煖　「大學圖書館內部空間配置之研究」。國立臺灣大學圖書館學研究所,碩士論文,民國77年。

韓竹平　「大學圖書館圖書經費分配方法研究」。書府6期(民國74年8月),頁75-84。

韓竹平　「我國大學購書分配各學系方式之研究」。國立臺灣大學圖書館學研究所,碩士論文,民國75年。

藍乾章　「大學圖書館的評鑑」。臺北市立圖書館館訊5卷1期(民國76年9月),頁1-3。

藍乾章　圖書館行政。臺北：五南圖書出版公司,民國71年。

藍乾章　圖書館經營法。臺北：書藝書局,民國67年。

羅禮曼　「國立臺灣大學經濟學系所西文館藏評鑑之研究」。國立臺灣大學圖書館學研究所,碩士論文,民國74年。

蘇炳煌　「國立成功大學圖書館採錄編目作業電腦化之研究」。國立成功大學工業管理研究所,碩士論文,民國69年。

顧　敏　現代圖書館學探討。臺北：臺灣學生書局,民國77年。

顧　敏　圖書館採訪學。臺北：臺灣學生書局,民國68年。

二、英文書目

Academic Librarianship; Yesterday, Today, and Tomorrow. Ed. Robert Stueart. New York, N. Y.: Neal-Schuman Pub. Inc., 1982.

Academic Library Facilities and Services for the Handicapped. Ed. James L. Thomas & Carol H. Thomas. Phoenix, Ariz.: Oryx Pr., 1981.

Academic Libraries: Myths and Realities, Proceedings of the Third National Conference of the Association of College and Research Libraries. Chicago: ALA, 1984.

Advances in Library Automation and Networking: A Research Annual. Ed. Joe A. Hewitt Greenwich, Conn.: JAI Pr., 1987.

Anand, Miss A. K. and Chopra, H. R. "Books On Approval; an Analysis with Reference to University Library Acquisition." *Herald of Library Science* 19 (January 1980): 202-7.

Asp, William et al. *Continuing Education for the Library Information Professions*. Hamden, Conn.: Shoestring, 1986.

Avram, H. D. "The Linked Systems Project: Its Implications for Resource Sharing." *Library Resources and Technical Services* 30 (Jan. 1986): 36-46.

Association of Research Libraries. *A Study of the Characteristics, Costs and Magnitude of Interlibrary Loan in Academic Libraries*. Ed. Vernon E. Palmour. Westport, Conn.: Greewood Pub, 1972.

Axford, William. "The Interrelations of Structure, Governance, , and Effective Resource Utilization In Academic Libraries. " *Library Trends* 23 (April 1975): 557-572.

Bell, Jo Ann. "The Role of Library Schools in Providing Continuing Education for the Profession." *Journal of Education for Librarianship* 19 (Winter 1979): 248-259.

Bennett, Scott. "Current Initiatives and Issues in Collection Management." *The Journal of Academic Librarianship* 10 (November 1984): 257-261.

Bookstein, A. "Economic Model of Library Service." *Library Quarterly* 51 (October 1981): 410-28.

Bouazza, Abdelmajid. "Resource Sharing among Libraries in Developing Countries: The Gulf between Hope and Reality." *International Library Review* 18 (October 1986): 373-87.

Boucher, V. "The Interlibrary Loan Interview." *Reference Librarian 16* (Winter 1986): 89-95.

Bowden, Virginia M. et al. "Evaluation of the TALON Cooperative Acquisitions Program for Monographs." *Bulletin of Medical Library Association* 72 (July 1984): 241-250.

Broadbent, Marianne. "Continuing Education: Facing the Issues ." *The Australian Library Journal* 35 (May 1986): 61-70.

Broering, N. C. "Emergence of an Electronic Library: A Case Study of the Georgetown University Library Information System." *Science & Technology Libraries* 5 (Summer 1985): 1-21.

Brown, B. J. and Hume, L.P. "Interlibrary Loan and the Research Libraries Group." *Interlending & Document Supply* 12 (April 1984): 54-6.

Brown, D. R. "Retrocon for LCS (Library Computer System) in Illinois Academic Libraries." *Information Technology and Libraries* 3 (April 1984): 274-8.

Brown, M. K. "Library Data, Satistics, and Information: Progress Toward Comparability." *Special Libraries* 71 (Nov. 1980): 475-484.

Bryant, Bonita. "Allocation of Human Resources for Collection Development." *Library Resources & Techincal Services* 30 (April 1986): 149-162.

Bryant, Douglas W. "Strengthening the Strong: The Cooperative Future of Research Libraries." *Harvard Library Bulletin* 24 (January 1976): 5-16.

Buckland, M. K. "Concepts of Library Goodness." *Canadian Library Journal* 39 (April 1982): 63-66.

Buckland, M. K. "Revisionist Views on Continuing Education."

College & Research Libraries News 41 (April 1980): 99.

Burch, B. and Davies. A. "Acquisitons and Interlibrary Loans: A Correlaton ? " *Interlending Document Supply* 15 (July 1987): 84-7.

Chrisitiansen, Dorothy E. Davis, C. Roger and Reed-Scott, Jutta. "Guide to Collection Evaluation Through Use and User Studies." *Library Resouces and Technical Servises* 27 (October/December 1983): 432-40.

Clarke, T. C. "Knowing Your Universals: UAP in Relation to UBC." *IFLA Journal* 4 (1978): 129-133.

Cline, G. S. "The High Price of Interlibrary Loan Service" *RQ* 27 (Fall 1987): 80-6.

Cline. H. F. and Sinnott, L. T. *Electronic Library: The Impact of Automation on Academic Libraries*, Kentucky : Lexington Books, 1983.

Conrow, J. "Remodeling Large Academic Libraries: Survival Hits." *College and Research Libraries News* 11 (December 1985): 600-4

The Client-centered Academic Library; An Organigational Model. Ed. Charles R. Martell. Westoport, Conn.: Greenwood Pr., 1983.

College Libraries; Guidelines for Professional Service and Resource Provision. 3rd ed. London: Library Association, 1982.

Conroy, Barbara. *Library Staff Development and Continuing Education: Principles and Practices.* Littleton, Colordo: Libraries Unlimited, 1978.

Coordinating Cooperative Collection Development; A National Perspective. Ed. Wilson Luquire. New York: Haworth Pr.,1986.

Cubberleg, Carol W. "Organization for Collection Development in Medium-sized Academic Libraries." *Library Acquisitions: Practice & Theory* 11 (1987): 297-323.

Dannelly, Gay N. "Coodinating Cooperative Collection Development: a National Perspective." *Library Acquisitions :*

Practice and Theory 9 (1985): 307-315.

DePew, J. N. and Basu, S. "The Application of Bradford's Law in Selecting Periodicals on Conservation and Preservation of Library Material." *Collection Management* 8 (Spring 1986): 55-64.

Ducote, R. L. and Zimmerman, M. "Marketing the Community College Library." *Illinois Libraries* 65 (March 1983): 228 -30.

Durrance, Juan C. "Library Schools and Continuing Professional Education: The De Facto Role and Factors that Influence It. " *Library Trends* 34 (Spring 1986): 679-696.

Ellsworth, Ralph E. *Planning the College and University Library Building*. Boulder, Colo.: Pruett Press, 1968.

Ellsworth, Ralph E. *Academic Library Buildings*. Boulder, Colo.: Colorado Associated University Press, 1973.

Evans, G. Edward. *Developing Library and Information Center Collections*, 2nd ed. Littleton, Colorado: Libraries Unlimited, 1987.

Evans, Glyn T.; Gifford, Roger and Franz, Donald R. "Collection Development Using OCLC Archival Tapes." Washington, D. C.: Office of Education, Office of Libraries and Learn ing Resources, 1977.

Farrell, David. "The NCIP Option for Coordinated Collection Management." *Library Resources & Technical Services*. (January/March 1986): 47-56.

Fetterman, John. *Resource Sharing in Libraries: Why, How, When, Next Action Steps*. Ed. Allen Kent. New York: Marcel Dekker, 1974.

Filon, S. P. L. "Andrew Carnegie and His Contributions to Library Co-operation." *Interlending and Document Supply* 13 (April 1985): 31-35.

Flowers, E. Library Government and Librarianship. *Australian Academic Libraries* 14 (June 1983): 273-84.

Ford, V. "PR: the State of Pubic Relations in Academic

Libraries." *College & Research Libraries* 64 (September 1985): 395-401.

Futas, E. and Intner, S. S. "Collection Evaluation." *Library Trends* 33 (Winter 1985): 237-436.

Gates, Jean Key. *Introduction to Librarianship*, 2nd ed. New York: McGraw-Hill Book Company, 1976.

Gatten, Jeffrey, et al. "Purchasing CD-ROM Products: Considerations for a New Technology." *Library Acquisitions: Practice & Theory* 11 (1987): 273-281.

Griffiths, José-Marie & King, Donald W. *New Directions in Library and Information Science Education*. New York: KIP, 1986.

Hanger, Stephen. "Collection Development in the British Library: the Role of the RLG Conspectus." *Journal of Librarianship* 19 (April 1987): 89-107.

Hannabuss, S. "Measuring the Value and Marketing the Service: An Approach to Library Benefit." *Aslib Proceedings* 35 (October 1983): 418-427.

Heathcote, D. and Stubley, P. "Building Services and Environmental Needs of Information Technology in Academic Libraries ." *Program* 20 (January 1986): 26-38.

Heller, Paul and Brenneman, Betsey. "A Checklist for Evaluating Your Library's Handbook." *College & Reserach Libraries News* 49 (February 1988): 78-79.

Hindle, A. *Developing an Acquisitions System for an University Library*. New York: State Mutual Book, 1981.

Holt, M.L. "Collection Evaluation: a Managerial Tool." *Collection Management* 3 (Winter 1979): 279-284.

Howden, N. and Boyce, B. R. "The DELTA (Distributed Electronic Library Terminal Access) Center Concept: a Modest Proposal for the Improvement of Research Library Infrastructure." *Information Technology and Libraries* 4 (September 1985): 236-239.

Information for Academic Library Decision Making; the Case for Organization Information Management. Ed. Charles R. McClure. Westport, Conn.: Greenwood Pr., 1980.

Ireland, J. M. "Faxon LINX at Brandeis University Libraries: a User's Appraisal." *Library Hi Tech* 2 (1984): 29-35.

Ishimoto, Carol F. "The National Program for Acquisitions and Cataloging: Its Impact on Univeristy Libraries." *College and Research Libraries* 34 (March 1973): 126-136.

Kapp, D. "Designing Academic Libraries: Balancing Constancy and Change." *Library Hi Tech* 5 (Winter 1987): 82-5.

Kaser, David. "Twenty-five years of Academic Library Building Planning." *Journal of Library and Information Science* 12 (October 1986): 240-51.

Kaser, David. "19th-century Academic Library Buildings." *College and Research Libraries News* 8 (Septermber 1987): 476-8.

Kent, Allen & Galvin, Thomas J. *Library Resource Sharing: Proceedings of the 1976 Conference on Resource Sharing in Libraries*, Pittsburgh, Pennsylvania. New York: Marcel Dekker, 1977.

Kim, D. U. "Computer-Assisted Binding Preparation at a University Library." *The Serials Librarian* 9 (Winter 1984): 35-43.

Kohl, David F. *Library Education and Professional Issues: A Handbook for Library Management*. Santa Barbara: ABC-Clio, 1986.

Konn, T. and Roberts, N. "Academic Libraries and Continuing Education: A Study of Personal Attitudes and Opinions." *Journal of Librarinaship* 16 (October 1984): 262-280.

Krausse, S. C. and Sieburth, J. F. "Patterns of Authorship in Library Journals by Academic Librarians." *The Serials Librarian* 9 (Spring 1985): 127-38.

Kusnerz, P. A. "Collection Evaluation Techniques in the Academic Art Library." *Drexel Library Quarterly* 19 (Summer 1983): 38-51.

Lancaster, F. W. *If You Want to Evaluate Your Library...* Champaign, IL: University of Illinois, 1988.

Lancaster, F. W. *The Measurement and Evaluation of Library Services*. Washingtion, D. C.: Information Resources Pr., 1977.

Leerburger, B. A. "Marketing Academic and Special Libraries." in *Issues in Library Management*. New York: Knowledge Industry Pub., 1984. pp.155-75.

Liebaers, herman. "Universial Availability of Publications (UAP)," *IFLA Journal* 12 (1986): 117.

Line, Maurice and Vickers, Stephen, "Universal Availability of Publications (UAP)." *IFLA Journal* 12 (1986): 325-328.

Line, Maurice B. "Access to Resources; The International Dimension," *Library Resources & Technical Services* 30 (January 1986): 4-12.

The Library in the University; Observations on a Service. Ed. Norman Higham. London: Andre Deutsch Ltd., 1980.

Lyle, Guy R. *Administration of the College Library*. 4th ed. N. Y.: H. W. Wilson, 1974.

McAdams, N. R. "Trends in Academic Library Facilities." *Library Trends* 36 (Fall 1987): 287-98.

McMillan, S. and McMillan, J. "Reclassification and the University of Queensland Library." *Australian Academic and Research Libraries* 15 (September 1984): 135-42.

McNiff, Philip J. "The Farmington Plan and the Foreign Acquisitions from the Third World." ed. Lique des biblio-theques europeennes de recherche (Salem, NH: Mansell Infor-mation, 1975), p.p. 145-158.

McReynolds, R. "Limiting a Periodicals Collection in a College Library." *The Serials Librarian* 9 (Winter 1984): 75-81.

Managing Curriculum Materials in the Academic Library. Ed. Alice S. Clark. Metuchen, N.J.: Scarecrow Pr. Inc., 1982.

Markuson, Barbara. "Library Networks: Progress and Problems." in *The Information Age: Its Development, Its Impact*. Metuchen, N.J.: The Scarecrow Pr., 1976, p.p. 34-39.

Martell, Charles R. *Interlibrary Loan Turnaround Time: A Study of Performance Characteristics of the University of California, Berkeley, Inerlibrary Loan Lending Operation*. Berkeley, C. A.: Univ. of California, 1975.

Martheson, Ann. "The Planning and Implementation of Conspectus in Scotland." *Journal of Librarianship* 19 (July 1987): 141-151.

Mathew, R. M. "Modern Marketing Techniques for the Effective Management of University Libraries." *Herald of Library Science* 19 (July 1980): 198-20.

Merson, John C. and Qualls, Robert L. *Strategic Planning for College and Universities: A Systems Approach to Planning and Resoruce Allocation*. San Antonio, TX: Trinity Univ. Pr., 1979.

Metcalf, Keyes D. *Planning Academic Library and Research Library Buildings*. N.Y.: McGraw-Hill, 1965.

Michell, B. G. and Harris, R. M. "Evaluating the Competence of Information Providers." in *1984: Challenges to an Information Society* (N.Y. : Knowledge Industry Publications, 1984), pp. 63-67.

Million, A. C. and Fisher, K. N. "Library Records: a Review of Confidentiality Laws and Policies." *Journal of Academic Librarianship* 11 (January 1986): 346-9.

Miller, R. H. and Guilfoyle, M.C. "Computer-Assisted Periodicals Selection: Structuring the Subjective." *The Serials Librarian* 10 (Spring 1986): 9-22.

Moore, Barbara; Miller, Tamara J. and Tolliver, Don L. "Title Overlap: a Study of Duplication in the University of Wisconsin System Libraries," *College and Research Libraries* 43 (January 1982): 14-21.

Moran, Robert. "Library Cooperation and Change," *College & Research Libraries* 39 (July 1978): 268-274.

Mosher, Paul H. and Pankake, Maria. "A Guide to Coordinated and Cooperative Collection Development." *Library Resources & Technical Services* 27 (October/December 1983): 417-431.

Myers, R. E. "Library Self-Evaluation." In *Quantitative Methods in Librarianship: Standards, Research Management*. Ed. I. Hoadley and A. Clark. Westport, Conn.: Greenword Pr., 1973, pp. 61-65.

Neal, J. G. "Continuing Education: Attitudes and Experiences of Academic Librarians," *College and Research Libraries* 41 (March 1980): 128-133.

Newman, George Charles. "Planning for Small College Libraries : The Use of Goals and Objectives." *Options for the 80's* Ed. Michael D. Kathman & Virgil F. Massman (London: JAI, 1982)

O'brien, Patrick. "Cooperative Collecting and Sharing." *Illinois Libraries* 60 (February 1978): 110-112.

Oi, K. and Others. "A Procedure to Determine Journals to be Subscirbed for in a Reserach Institute." *Library & Information Science* 21 (1983): 121-30.

Olson, L. M. "Reference Service Evaluation in Medium-sized Academic Library: A Model." *Journal of Academic Librarianship* 9 (January 1984): 322-329.

Palais, Elliot "Use of Course Analysis in Compiling a Collection Development Policy Statement for a University Library. " *The Journal of Academic Librarianship* 13 (March 1987): 8-13.

Performance Evaluation: A Management Basic for Librarians. Ed. Jonathan Lindsey. Phoenix, AZ: Oryx Pr., 1986.

Pitkin, Gary M. "Access to Articles Through The Online Catalog." *American Libraries* 19 (October 1988): 769-770.

Planning, Another View. "*Drexel Library Quarterly* 21 (Fall 1985)

Potter, William Gray. "Studies of Collection Overlap: a Literature Review." *Library Research* 4 (Spring 1982): 3-21.

Richardson, Joanna & Cook, Brian. "A Proposed Model for Ascertaining Regional Needs of Library and Information Science Workers for Continuing Education." *The Australian Library Journal* 34 (May 1985): 15-22.

Roberts, D. L. "Mentoring in the Academic Library." *College & Reserach Libraries News* 2 (February 1986): 117-190.

Rogers, Rutherford D., and Weber, David. *University Library Administration*. N.Y.: H.W. Wilson, 1971.

Schander, D. E. "The Technology of Wisdom: Applying Organization Theory to Academic Libraries." *Australian Academic and Research Libraries* 17 (Summer 1986): 126-47.

Segal, J. A. "Journal Deselection: A Literature Review and an Application." *Science Technology Librarian* 6 (Spring 1986) : 25-42.

Shaughnessy, T. W. "Cutback Management in University Libraries: A Case Study." *Show-Me Library* 35 (April 1984): 5-10.

Sherman, I. H. "What Makes A Library Well Run ?" *Canadian Library Journal* 41 (October 1984): 249-52.

Shipman, Joseph C. *Acquisition in Resource Sharing in Libraries: Why, How, When, Next Action Steps*. Ed. Allen Kent. New York: Marcel Dekker, 1974.

Sloan, B. G. "Resource Sharing Among Academic Libraries: The LCS [Library Computer System] Experience." *Journal of Academic Librarianship* 12 (March 1986): 26-9.

Smethurst, J. M. "Management, Research, and Academic Library Problems: A Way Forward." *Library Research* 31 (Winter 1982): 231-238.

Sohn, Jeanne, "Cooperative Collection Development: a Brief Overview," *Collection Management* 8 (Summer 1986): 1-9.

Stam, David H. "Collaborative Collection Development: Progress, Problems, and Potential." *Collection Building* 7 (1986): 3-9.

Stam, David H. "Think Globally-Act Locally: Collection Development and Resource Sharing." *Collection Building* 5

(Spring 1983): 18-21.

"Standards for College Libraries." *College & Research Libraries News* 36 (October 1975): 277-280, 290-301.

"Standards for University Libraries." *College & Research Libraries News* 40 (April 1979): 101-110.

Stevens, Rolland. "A Study of Interlibrary Loan." *College and Research Libraries* 35 (Sept. 1974): 336-343.

Stielow, Frederick J. and Tibbo, Helen R. "Collection Analysis and the Humanities : A Practicum with the RLG Conspectus." *Journal of Education for Library and Information Science* 27 (Winter 1987): 148-157.

Stone, Elizabeth W. "Continuing Education for Librarians in the United States." in *Advances in Librarianship 8*, Ed. Michael Harris, (New York: Academic Pr., 1978), pp.241-331.

Stone, Elizabeth W. "Continuing Education for the Library and Information Professions: An International Perspective, 1985." *IFLA Journal* 12 (1986): 203-217.

Stone, Elizabeth W. "The Growth of Continuing Education." *Library Trends* 34 (Winter 1986): 489-513.

Stueart, Robert D. and Eastlick, John Taylor. *Library Management*, 2nd ed. Littleton, Colorado: Libraries Unlimited, 1981.

Swell, Philip H. "Resource Sharing Co-operation and Co-ordi-ordination." in *Library and Information Services* (London: Andre Deutsch, 1981).

Thomson, Sarah K. *Interlibrary Loan Involving Academic Libraries*, (ACRL Monograph no. 32) Chicogo: ALA, 1970.

University Librarianship. Ed. John F. Stirlign. London: Library Association, 1981.

University Library History; an International Review. Ed. James Thompson. New York: Clive Bingley Ltd., 1980.

Uquhart, D. J. "UAP: What Can We Do About It?" *IFLA Journal* 4 (1978): 338-334.

Use and Perception of an Academic Library; a Survey at the Australian National University. Ed. Fiona Wood. Canberra: Australian National Univ., 1982.

Veaner, A. B. "1985 TO 1995: The Next Decade in Academic Librarianship [with Discussion]." *College & Research Libraries* 46 (May 1985): 209-29, 46 (July 1985): 285-319.

Wagschal, P. H. "Interactive Technologies in the Academic Library." *Library Trends* 34 (Summer 1985): 141-50.

Weber, David C. "A Century of Cooperative Programs Among Academic Libraries." *College and Research Libraries* 37 (May 1976): 205-221.

Willett, Charles. "International Collaboration among Acquisitions Librarians: Obstacles and Opportunities." *IFLA Journal* 11 (1985): 289-98.

Williams, D. E. "Evaluation and the Process of Change in Academic Libraries." *Advances in Library Administration and Organization* 2 (London: JAI Pr., 1983): 151-174.

Williams, Edwin E. *Farmington Plan Handbook*. Cambridge, Mass. : Association of Research Libraries, 1961.

Williams, Sally F. "Budget Justification: Colsing the Gap Between Request and Result." *Library Resources and Technical Services* 28 (April/June 1984): 129-135.

Wilson, A. "The Place of the Research Library in the Universal Availability of Publications Programme." *Interlending Document Supply* 13 (January 1985): 3-7.

Woodard, B. S. and Golden, G. A. "Data Research Standards for Library Automation Data." *Library Journal* 110 (October 1985): 23.

索　引

一、中文索引

二　畫

三　畫

四　畫

五　畫

六　畫

七　　畫

八　　畫

九　　畫

十　畫

十一畫

十二畫

十三畫

十四畫

十五畫

十六畫

十七畫

十八畫

十九畫

二十畫

二十一畫

二、英文索引

A

B

C

D

E

F

G

H

I

J

K

L

M

N

O

P

Q

R

S

T

U

W

附錄　大學及獨立學院圖書館標準

六十八年十二月中國圖書館學會
第二十七屆會員大會通過

第一章　任　務

第 一 條　大學及獨立學院圖書館標準（以下簡稱本標準）係根據圖書館經營之理想，各國大學圖書館標準及我國實際環境擬定。

第 二 條　大學暨獨立學院圖書館（以下簡稱圖書館）之設置，應符合大學及獨立學院之宗旨，蒐集與保藏圖書資料，並妥加整理以便利用。

第 三 條　圖書館應利用圖書資料支援教學及研究計畫，培養學生閱讀習慣及啓發學生研究興趣。

第 四 條　圖書館應舉辦各項推廣服務，以促進社區文化與學術之發展。

第二章　組織與人員

第 五 條　圖書館在行政組織上之地位，應與教務、訓導及總務三處相等，規模完善者置館長一人（規模較小者，置主任一人）綜理館務。

第 六 條　圖書館館長應具有下列資格之一：

㈠教授或副教授並具有圖書館學研究所碩士以上學位者。

㈤圖書館人員高等考試及格者。

㈥圖書館人員普通考試及格，並在圖書館服務二年以上者。

第十一條　圖書館除館長或主任外，得按下列標準設置之：

㈠至少有館員四人，負責採錄、編目、閱覽、典藏及參考諮詢等工作。

㈡每有學生一百五十人應另增館員一人。

㈢專業人員應佔全部館員百分之五十以上。

第十二條　大學及獨立學院應設圖書館諮詢委員會，其任務爲：協助館長或主任策劃圖書館業務之發展；研議重要興革事項；協調與溝通圖書館與員生之意見。委員會之組織，應由全校教師代表組成之，圖書館館長(主任)爲當然委員。

第十三條　圖書館應詳訂館內辦事細則。

第三章　經　費

第十四條　各校每年編列之圖書館經費不得少於全校經費預算之百分之五。

第十五條　圖書館經費應包括圖書資料費、人事費、業務費、旅運費、維護費等。創辦費及建築費應另訂之。

第十六條　師範院校之歲出預算，應編列圖書費項目，其金額應比照大學及獨立學院標準計算之。

第四章　圖書資料

第十七條　圖書館應注意蒐集各科代表性之著作，其內容須有益於通才教育之實施，專業知識技能之增長，個人品德之陶冶，以及正當興趣之培養。舉凡有關本校校史、員生著作及社團出版品亦應注意蒐集。

第十八條　圖書館資料之選擇應由圖書館會同各學系及研究所辦理之。各院、所、系得視情形組織圖書選擇小組，負擇專門性資料。各種參考工具書之種類及範圍應力求豐富，並備有最新版次及各種語文者。

第十九條　圖書館館藏應包括圖書與非書資料其範圍爲：期刊、官書、論文、手稿、檔案、輿圖、樂譜、小冊子、影印與縮影資料及視聽資料等。

第二十條　圖書館藏書數量依照下列標準計算之：

㈠任何學校，不論其規模大小，均應具備基本藏書五萬冊，縮影及錄音資料每件以一冊計。

㈡每有學生一人，另增加三十五冊。

㈢每增加一博士班，另增加一萬冊。

㈣圖書增加量，每年不得少於藏書總冊數之百分之九。

第廿一條　圖書館應訂閱與各所、系教學研究有關之專門性期刊。其數量每一研究所不得少於十五種，至於一般性期刊報紙，視學生人數及實際需要訂閱之。

第廿二條　圖書之分類與編目應採用統一的方法，以配合全國未來發展之趨勢。

第廿三條　圖書館應編製自用及公用卡片目錄，自用目錄得酌備著者、書名及主題或分類等三種。

第廿四條　圖書館設有分館者，在總館內應備有總目錄。

第廿五條　圖書資料應定期清查，汰舊換新。除珍善本圖書外，淘汰之原則爲：

㈠內容偏激不合時宜者。

㈡內容陳舊之科學書籍，而有較新版本者。

㈢殘破不全無法修補，不堪閱讀者。

第廿六條　圖書資料之損耗率，除珍本圖書外，凡每年耗損册數在藏書數量之千分之五以內者，得由館長或主任核銷之。超過千分之五以上者，報請校（院）長核銷。

第五章　建築及設備

第廿七條　圖書館應有獨立之建築，其館址設於學校之中心地點，並應預留空地以備擴建。其建築，應由圖書館館長、建築師及學校行政人員組成小組，共同商定之。

第廿八條　圖書館得視需要設置閱覽室、參考室、期刊報紙室、指定參考書室、官書室、珍本書室、休閒讀物閱覽室、視聽資料室、輿圖室、書庫、辦公室、會議室、展覽室、校史室、討論室、研究小間、攝影室、裝訂室、吸煙室、工作人員休息室、儲藏室及值夜室等。

第廿九條　圖書館閱覽座位數，應以學生總數百分之三十三爲標準，即每三人應有一座位。

第三十條　圖書館之建築設備標準另訂之。

第六章　服　務

第卅一條　圖書館開放時間應視各校情形而定，惟每星期開放總時數不得少於八十六小時。

第卅二條　圖書館爲鼓勵員生之自由閱覽及研究以採開架制度爲宜。

第卅三條　圖書館應照規定辦理閱覽及出借圖書。原則上善本圖書、參考資料、期刊及報紙等不得外借。

第卅四條　圖書館應提供下列服務：

㈠注重參考諮詢，如協助員生查檢資料、解答疑難等。

㈡提供教師指定參考書。

㈢編製剪輯書目、索引、摘要及「圖書館手册」等。

㈣提供複印。

㈤經常舉辦展覽、演講、討論等活動，以鼓勵員生研讀。

第卅五條　圖書館應有專人指導學生利用圖書館並協助研究工作，其方式爲：

㈠新生訓練期間，介紹圖書館館藏與服務。

㈡開授「圖書館利用法」供學生選修。

㈢個別指導。

㈣提供專題研究資料等。

第卅六條　圖書館間應發展合作服務，如聯合採購、合作編目、編製聯合目錄、館際互借、資料互印等，並負責辦理出版品國內、外交換工作。

第卅七條　圖書館爲評量服務，應分別逐日、逐月及逐年辦理下列統計資料。

㈠中外文圖書增加及累計册數。

㈡與國內外各機構交換或贈送圖書册數。

㈢閱覽人數。

㈣圖書資料借用種類、册數及人數。

㈤參考諮詢之件數。

㈥教師指定參考書種數及利用人數。

㈦每年經費分配額及使用額。

㈧其他。

第卅八條　圖書館應在學年終，提出年度工作報告，以檢討工作之得失及提供改進之意見。

第七章　附　則

第卅九條　本標準所稱學生總數，悉以日間部學生爲準，研究生一人視爲三人計算。

第四十條　本標準經由中國圖書館學會年會通過後，公佈實施，修正時同。

大學圖書館之經營理念 ／ 楊美華著--臺北市：臺灣學生，民78
［16］，322面：圖；21公分. --（圖書館學與資訊科學叢書）
參考書目：面279-300
含索引
ISBN957-15-0007-0（精裝）：新臺幣270元.ISBN 957-15-0008-9（平裝）：新臺幣220元
1.大專院校圖書館 I 楊美華著.
024.7 / 8666

大學圖書館之經營理念
著作者：楊　美　華
出版者：臺灣學生書局
本書局登記證字號：行政院新聞局局版臺業字第一一〇〇號
發行人：丁　文　治
發行所：臺灣學生書局
臺北市和平東路一段一九八號
郵政劃撥帳號〇〇〇二四六六～八號
電　話：3634156
印刷所：淵明印刷廠
地　址：永和市成功路一段43巷五號
電　話：9287145
香港總經銷：藝文圖書公司
地址：九龍又一村達之路三十號地下後座　電話：3-805807
定價　精裝新台幣二七〇元
　　　平裝新台幣二二〇元
中華民國七十八年九月初版

ISBN 957-15-0007-0（精裝）
ISBN 957-15-0008-9（平裝）

圖書館學與資訊科學叢書

本版圖書編號	書名	作者	開本	頁數
0202	中國圖書館事業論集	張錦郎	25	596
0203	圖書、圖書館、圖書館學	沈寶環	25	474
0204	圖書館學論叢	王振鵠	25	596
0205	西文參考資料	沈寶環	25	386
0206	圖書館學與圖書館事業	沈寶環	25	330
0209	國際重要圖書館的歷史和現況	黃端儀	25	420
0210	西洋圖書館史	尹定國	25	332
0231	圖書館採訪學	顧　敏	25	204
0232	國民中小學圖書館之經營	蘇國榮	25	422
0233	醫學參考資料選粹	范豪英	25	148
0234	大學圖書館之經營理念	楊美華	25	344
0236	中文圖書分類編目學	黃淵泉	25	523
0238	參考資訊服務	胡歐蘭	25	382
0239	中文參考資料	鄭恆雄	25	424
0240	期刊管理及利用	戴國瑜	25	238
0245	兒童圖書館理論、實務	鄭雪玫	25	254
0246	現代圖書館系統綜論	黃世雄	25	510
0247	資訊時代的兒童圖書館	鄭雪玫	25	234
0248	現代圖書館學探討	顧　敏	25	446
0251	專門圖書館管理理論與實際	莊芳榮	25	212

※尚有其他圖書館學類圖書十餘種請參考臺灣學生書局書目